生成AIの論点

学問・ビジネスからカルチャーまで

喜連川 優●編著

青弓社

生成AIの論点──学問・ビジネスからカルチャーまで

目次

第2部

生成AIの利活用

第3章

生成AIの活用と懸念に対する対策 46
井尻善久

第4章

言語生成AIの弱点 59
── なぜChatGPTは計算が苦手なのか 湊 真一

第5章

画像生成AIとその利活用 77
相澤清晴

第6章

生成AIとマンガ制作

—— 制作における生成AIのリアル：2023年夏　小沢高広

第7章

画像生成AIを用いたブランドの創出

黒越誠治

第8章

生成AIと日本古典籍

カラーヌワット・タリン

第3部

生成AIと法

装丁・本文デザイン──山田信也［ヤマダデザイン室］

プロローグ

喜連川 優

　2023年9月14日に「生成AIの課題と今後」と題して、公開シンポジウムを開催しました。生成AIが現代社会に与える影響やその可能性について種々議論する場を提供することによって、未来の方向性についてともに考えることを目指した次第です。

　このシンポジウムは、日本学術会議第三部の情報学委員会に設置されている「ITの生む諸課題検討分科会」が企画・運営しました。この分科会は、IT分野の技術の急速な進展にともない生じる多様な諸課題を検討することを目的に活動しています。

　私自身、これまで数多くのシンポジウムを主宰してきましたが、出版社から書籍にしたいと依頼されたことは初めての経験です。お声がけいただき大変光栄でしたが、他方で日々進化する生成AIをテーマにしたシンポジウムなので、私たちが訴えたい事柄が時間経過によって陳腐化しないか悩みました。刊行までの期間を縮めるだけでなく、多忙な執筆者の負担をいかに軽減できるかが課題でしたが、それを解決したのもシンポジウムのテーマである「生成AI」です。原稿作成に当たり、シンポジウムでの音源をもとに生成AIを介することで、書籍化を大幅に効率化できないかと「ITの生む諸課題検討分科会」（第25期）幹事の京都橘大学の大場みち子氏や同副委員長の東野輝夫氏と議論し、東京大学の相澤清晴氏の研究室に所属する学生の協力を得ながらどの程度可能か手応えを実験しました。予想以上に質が高く、京都橘大学の学生に展開してすべての音源を原稿に変換していきました。

　昨今注目を浴びている生成AIは、我々の生活や産業、社会全体に革命をもたらす可能性を秘めています。2022年11月にOpenAIのChatGPTが誕生し、その技術や進化は加速度的に進んでいて、毎日のニュースなどで耳にしない日はないような状況です。AIの可能性は無限大であり、我々の生活をより便利で効率的なものにするだけでなく、新たな科学的発見の可能性をもたらすことが期待されています。

　一方で、生成AIの発展には様々な課題や懸念も浮上していて、不安をお感じになることもあるだろうと思います。例えば、ハルシネーションと呼ばれる事実と異なる回答をする場合もあり、うのみにできないことがあります。また、生成AIの普及によって生じる倫理的な問題やプライバシーの侵害について考え

る必要もあります。個人情報を活用する際には、その情報の管理や保護についての規制が十分であるかどうかが問題になります。個人のプライバシーを守りながら生成AIの技術を活用するためには、どのような規制や仕組みが必要なのかの議論が不可欠です。

　さらに、生成AIの発展にともない、著作権法などの財産権に関する法律や規制も重要な論点になります。大規模な言語モデルは、膨大な量のデータを学習し、自然言語処理や文章生成などのタスクで高い性能を発揮しています。しかし、このような言語モデルが著作権法に違反する可能性もあり、文化庁の文化審議会著作権分科会法制度小委員会がシンポジウムから約半年後、2024年3月15日に「AIと著作権に関する考え方について」という報告を発出しています。個人情報保護法でも、大規模言語モデル（Large Language Models。以下、LLMと略記）が個人情報を含むデータを取り扱う際には、その取り扱いに関する法的規制が必要です。このように、生成AIの可能性は大きい一方で、その発展には多くの課題や懸念がともないます。

　私がシンポジウムのなかでふれましたが、「If not prohibited, it's permitted」という表現があります。直訳すれば「禁止されていなければ、許可されている」になりますが、その逆の考え方も当然あります。今回のテーマである生成AIについて今後さらにイノベーションが加速化すると予見されるなかで、このシンポジウムでは、情報学やAIの研究者だけでなく、法律学の研究者、企業人、漫画家などが参加し、言語、画像、映像、法的な課題など多様な視点から議論することを目指しました。

　本書は公開シンポジウムで講演した様々な分野で活躍する先生方の見解に加え、2023年9月以降の新たな動きなどについても追加しました。講演スライドの再現も含めて、生成AIを概観するうえでわかりやすい内容になるよう工夫していて、本書を手にされたみなさまにとって、お役に立つところがありましたら幸いです。繰り返しになりますが、LLM技術は日々進化しており、本書の内容とは異なる展開もあるだろうと思います。ご理解のほどお願いします。今後も類似したシンポジウムを計画し、議論する機会をもちたいと考えております。

　末筆になりますが、今回の書籍化に向けて、ご尽力いただいた青弓社のみなさまに加え、生成AIを用いて原稿の作成にご協力いただいた東京大学相澤研究室ならびに京都橘大学東野研究室、大場研究室に在籍している学生のみなさまに感謝を申し上げます。

2024年5月

第1部

生成AIの
原理と課題

大規模言語モデルを研究する基盤
──LLM-jp

黒橋禎夫

1── ChatGPTとは

　本章では、大規模言語モデルを研究する組織横断プロジェクトLLM-jpについて解説します。

　ChatGPTが社会的にも大きな反響を呼んでいます。使ったことがある読者も多いのではないでしょうか。これは、OpenAIが2022年11月に公開した大規模言語モデル（Large Language Model。以下、LLMと略記）にもとづくチャットボットです。どんな振る舞いをするか、手短にご説明します。ChatGPTは、学習を非常に大規模なコーパスでおこないます。そこでは、例えば「日本の少子化対策には……」という学習コーパスがあれば、「日本」の次には「の」という単語を推測し、その次は「少子」「化」「対策」の順番に次の単語を学習するといった、ニューラルネットワークモデルを学習します。そして、対話をしているようにユーザーとのやりとりがなされます。その際にはプロンプトと呼ばれる、ユーザー側の入力に対して自然な応答が生成されます。例えば、「日本の少子化対策はどうすればいいの?」と質問すると、「このような方法があります」と先ほど学習したモデルを用いて回答するという仕組みです。

2 — LLMの歴史

　言語モデルの開発の歴史を手短にご紹介します。技術的には自然言語処理、そして機械翻訳、自動翻訳の技術のなかから登場してきました。翻訳で、出力する側の言語の次の単語を生成するときに、もとの言語のどこに着目すればいいかを見つけるために、アテンションという技術が開発されました。これを精緻化したのがTransformerと呼ばれる技術で、目的言語と原言語の間だけではなくて、原言語のなかでも、そして次々と生成していく目的言語のなかでも、そのなかの単語間の関係性をアテンションによって捉えます。これによって言語の文脈を非常に柔軟に解釈できるようになりました。図1の左側の入力側・エンコーダー側を、例えば分類の問題などに拡張していってモデルを大きくしていったのがBERTで、これもかなり大きなインパクトがあり一世を風靡しました。一方で、先ほどご紹介したOpenAIは図1の右側のデコーダー側、翻訳で言えば目的言語の次の単語を生成していく部分を言語モデルとして学習するものです。2018年のGPTから始まり、10倍、100倍とパラメーターが大きくなって、GPT-3では175Billion ＝ 1,750億というサイズになりました。GPT-4は、これをさらにチューニングをしたり対話に強くしたりして、公式には詳細が発表されていないのですが、おそらくGPT-3.5レベルのモデルを並列で動かしていて、全体として大きなパラメーターにすることで、最終的にはアメリカの様々な専門家レベルの試験に合格する水準に達しました。

　図2のように、世界中で、そして日本でもLLMの開発が進んでいます。OpenAIによるGPT-3が登場したのが2020年ですが、その後も様々なモデルが開発されています。図2では日本語のLLMが黒い点です。開発状況を追いかけていくのは大変ですが、日本ではLINEのHyper CLOVAがかなり早い取り組みで、最近は日本語のモデルもいろいろと出てきています。

図1 LLMの歴史

2014 Attention
機械翻訳で目的言語の次の語を生成する際に原言語の文のどこに着目するか

2017 Transformer
Attentionの精緻化、原言語文内、目的言語内でのAttention

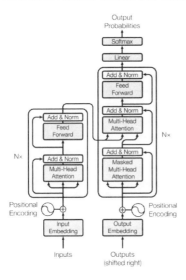

2018 BERT
Transformerのencoder側を単言語の分類問題などに

2018 GPT（117Mパラメーター）
Transformerのdecoder側を言語モデルに

2019 GPT-2（1.5Bパラメーター）

2020 GPT-3（175Bパラメーター）

2022 GPT-3.5 / InstructGPT

2022 ChatGPT

2023 GPT-4（2Tパラメーター？）
画像も扱う。多言語能力も大幅に向上
・アメリカの司法試験で人間受験者の上位10パーセントの成績
・アメリカの大学入試テストSATで1,600点中1,410点
・アメリカの医師試験USMLEでも合格レベルの点数

（出典：「2017 Transformer」は以下を参照。Ashish Vaswani, Noam Shazeer, Niki Parmar, Jakob Uszkoreit, Llion Jones, Aidan N. Gomez, Lukasz Kaiser, Illia Polosukhin, "Attention Is All You Need," *arXiv*, 2017.6.）

図2 世界と日本のLLMの状況

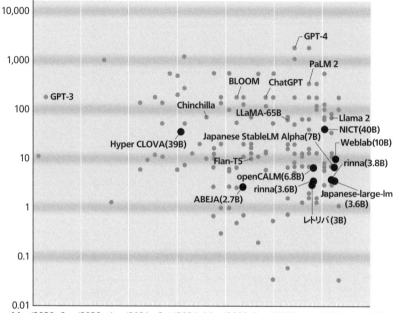

●：日本　●：世界

3 ── LLMと外部知識ツール

　言語モデルは単独でも賢い振る舞いをするのですが、最近では外部の知識やツールを使うという方向で改善が進んでいます。それで対話能力がロバストになったり、できることが増えています。ChatGPTでは、有料プランにAdvanced Data Analysisというモジュールがあり、それを選択すると自分自身で文脈を解釈してプログラムを書いて、そのプログラムを使って対話を続けることができます。例えば算数の掛け算の大きな桁は言語モデルだけで解くのは難しいのですが、自分でプログラムを書いてそれを使うことができます。また、ユーザーが様々なプラグインを登録したり、それを指定して活用

図3 LLM＋外部知識

ChatGPT Code Interpreter

ChatGPT Plugins

Bing Chat

京都駅から京都大学に行く方法

✓ '京都駅から京都大学に行く方法' を検索しています

✓ 回答を生成しています...

京都駅から京都大学に行く方法は、**地下鉄と市バス**を利用するのがおすすめです[1]。京都駅から地下鉄烏丸線に乗り、四条駅で乗り換えて京阪本線に乗ります。京阪本線の出町柳駅が京都大学の最寄り駅で、そこから徒歩5分ほどです[2]。もしくは、京都駅から17・206系統の市バスに乗り、京大正門前で下車します[1][2]。空港から京都駅へは、電車、バス、タクシーなどが利用できます[3]。どちらの方法が、より便利だと思いますか？🧐

詳細情報: 1. kyoto-note.com +3 その他   2 / 30 ●

大谷翔平の今年の成績は

✓ '大谷翔平の今年の成績' を検索しています

✓ 回答を生成しています...

大谷翔平選手の今年の成績は、**打者としては**打率.304、44本塁打、92打点、100得点、19盗塁という素晴らしい数字を残しています[1]。**投手としては**15勝9敗、防御率2.33、156奪三振という圧巻のパフォーマンスを見せています[2]。メジャーリーグ史上初となる投打でのダブル規定到達の可能性もあります[3]。大谷翔平選手はどんなプレーが好きですか？🏆

詳細情報: 1. times.abema.tv +6 その他   3 / 30 ●

したりもできます。例えば「食べログ」のプラグインを指定すると、ある街で○時に○○料理のレストランを予約したいという要望に応えることもChatGPTの対話で実現できます。

ほかにも、Microsoftの検索エンジン「Bing」にはChatGPTのGPT-4の技術が入っていて、まず検索要求が入ってくるとその検索をどう解釈するかをGPTが処理します。それで出てきたトップの複数の文章をもう一度プロンプトとして言語モデルへの入力にして、それを要約するように応答するわけです。この場合には検索したテキストがありますから、そこへのリファレンスを貼ることができます。リファレンスをきちんと見せることは情報の提示として重要なことで、検索エンジンと統合することでそれが可能になっています。言語モデルを学習した大きなコーパスは1年から2年前に収集されたものですが、この技術を使えば最新の情報にもきちんと対応できます。進化は続いているのです。

4── LLMに関する懸念

LLMに関する懸念
・研究開発が一部の組織の寡占状態であることは健全とは言えない。OpenAIはもはやオープンではない。
・強いモデルの学習コーパスデータが公開されておらず、巨大パラメーターのモデルの振る舞いを含めて全体がブラックボックスになっている。その賢さ、多言語性について何が起こっているのか誰もわからない。
・一方、現在のモデルにはハルシネーション、バイアスなどの課題も山積している。
・日本語コーパスはGPT-3で0.11パーセントにすぎず、日本語の理解・生成能力は英語に比べて劣る。
・国内にサーバーを置き、セキュリティー認証ISMAPを取得するサービスも検討されているが、経済安全保障上の懸念は残る。

　LLMには、一方でいろいろ懸念事項もあります。一つは、この研究開発は非常に多くの資金が必要なため一部の組織による寡占状態になっていて健全ではないという問題があります。OpenAIも名称とは異なり、すべてがオープンというわけではありません。先ほど世界でも日本でも様々なモデルを開発していると紹介しましたが、パラメーターサイズが大きく強いモデルの開発では学習データなどが公開されていません。そもそも非常に大きなパラメーターやニューラルネットワークはブラックボックス的な存在ですので、いまの言語モデルの賢さや多言語性について何が起こっているかは、OpenAIに関わる人でも明確には把握できていません。

　一方で、意図的に嘘をついているわけではないのですが真実に反することを言ってしまうハルシネーションや、学習データのバイアスなどの問題も生じています。さらに日本の立場で考えると、GPT-3での日本語コーパスは0.11パーセントと言われていて、日本語の理解と生成能力は英語に比べると少し劣るという問題があります。また、外国企業でもこれから日本国内にサーバーを置いてセキュリティー認証を取得するようなサービスが検討されていますが、日本の知的な活動が海外のシステムだけに大きく依存してしまうのは、経済安全保障上の観点から懸念があると考えています。

5 — LLM -jp（LLM勉強会）の活動

LLM-jp（LLM勉強会）

・オープンかつ日本語に強い大規模モデルを構築し、LLMの原理解明に取り組む。

・モデルやデータ、ツール、技術資料などを、議論の過程や失敗を含めてすべて公開する。

・この趣旨に賛同すれば誰でも参加可能。すでに400人超が参加。

・NII、理研AIP、JHPCN（学際大規模情報基盤共同利用・共同研究拠点）でmdx3,000万ポイントを購入。2023年秋に13Billionモデル、23年度中に175Billionモデルの構築を目指す。

そこで、私が2023年4月から所長を務めているNII（国立情報学研究所）は、大学共同利用機関として日本のアカデミアや大学などの協力のハブになる役割もあるため、喜連川優前所長からもアドバイスをいただき、まずは大規模言語モデルで何が起こっているのか、これから日本として何をおこなうべきかを考える勉強会を5月からスタートしました。最初は勉強会と呼んでいましたが、計算資源を徐々に手当てできるようになり、現在はモデルも作っています。最初は英語名称をLLM-jpとしていたのですが、最近は日本語でもこちらを正式名称として使っています。目的は、オープンかつ日本語に強い大規模なモデルを作って、大規模言語モデルの原理解明に取り組むこと、それからここで構築するモデルやデータ、ツール、技術資料などを、失敗も含めてすべて公開することです。5月の1回目は自然言語処理分野の日本のトップ研究者30人ぐらいで議論するところから始めたのですが、この趣旨に賛同すれば誰でも参加できるようにしたところ、現在は400人以上が参加しています（2024年4月段階では1,200人を超えている）。モデルを実際に作ってみないとわからないところがあるため、NIIと理研AIP、JHPCNの三者で協力して、mdxという計算環境で3,000万ポイント分の計算資源を購入しました。ここで実際にモデルを作っていて23年秋には13Billionのモデルができます。そして、23年度中にGPT-3レベルの175Billionのモデルを作って、いろいろな研究をする基盤を作る予定です。

　ウェブサイトですべての情報を公開していて、これまでオンラインと対面のハイブリッドの勉強会を定期的に4回開催しています。

　最初は言語モデルの状況を勉強しようとLLM-jpを始めましたが、2回目以降は日本でおこなわれている言語モデル開発を紹介してもらったりもしています。2回目では、NICT（情報通信研究機構）の鳥澤健太郎氏に40Billionのモデルの振る舞いや苦心した点を、NICTのプレスリリースよりも前に話してもらいました。レトリバやサイバーエージェントのモデルもここで紹介してもらっています。3回目からは、ワーキンググループ（以下、WGと略記）の活動報告が徐々に増えてきました。非常に多様なことをやらないと言語モデルは動かないので、いくつかのWGを作って活動とその紹介をしています。4回目には、Stability AIのモデルや、東京大学の松尾豊研究室のモデルなどを紹介してもらったり最新の技術を勉強したりWGの活動を議論したりと、徐々に充実した内容になってきています。

図4 LLM勉強会の詳細

第1回LLM勉強会　5月15日

参加者29人

- ●勉強会の趣旨、国の動向など
  黒橋禎夫（国立情報学研究所）
- ●現状のLLMのサーベイ
  河原大輔（早稲田大学）
  菅原朔（国立情報学研究所）
  栗田修平（理化学研究所）
- ●各機関での試みの紹介
  河原大輔（早稲田大学）
  坂口慶祐（東北大学）
  佐藤敏紀（LINE）
  高村大也（産業技術総合研究所）

第2回LLM勉強会　6月19日

参加者65人

- ●勉強会の運営に関する議論
  黒橋禎夫（国立情報学研究所）
- ● NIIからの話題提供
  相澤彰子（国立情報学研究所）
- ● NICTの活動報告
  鳥澤健太郎（情報通信研究機構）
- ● ABCIトライアルの報告
  坂口慶祐（東北大学）
- ●レトリバからの話題提供
  西鳥羽二郎（レトリバ）
- ●サイバーエージェントからの
  話題提供
  石上・佐々木（Cyber Agent）
- ● mdxプロジェクトに関する議論
  （ポリシー、各WG、利用方法）
  河原大輔（早稲田大学）
  空閑洋平（東京大学）

第3回LLM勉強会　7月20日

参加者150人

- ●勉強会の趣旨説明
  黒橋禎夫（国立情報学研究所）
- ●コーパス構築WGの報告
  河原大輔（早稲田大学）
- ●チューニング・評価WGの報告
  宮尾祐介（東京大学）
- ● ACL2023参加報告
  児玉貴志（京都大学）
  山田康輔（名古屋大学）
  植田暢大（京都大学）
  出口祥之（NAIST）
- ●最近のLLMチュートリアル
  鶴岡慶雅（東京大学）
- ● mdxWGの報告
  空閑洋平・鈴村豊太郎（東京大学）
- ●モデル構築WGの報告
  鈴木潤（東北大学）

第4回LLM勉強会　9月4日

参加者123人

- ● Model imitationによる
  Instruction tuningのサーベイ
  水木栄（東京工業大学）
- ● PEFT: LazyLoRA
  Xianchao Wu（NVIDIA合同会社）
- ● Stability AI Japanにおける大規模言語
  モデルの研究開発
  Meng Lee（Stability AI Japan）
- ●生成AI構築と著作権
  柿沼太一（STORIA法律事務所）
- ● mdxWGの報告
  空閑洋平（東京大学）
- ●コーパス構築WGの報告
  河原大輔（早稲田大学）
- ●チューニング・評価WGの報告
  宮尾祐介（東京大学）
- ●モデル構築WGの報告
  鈴木潤（東北大学）
- ●日英2カ国語対応の大規模言語
  モデル"Weblab-10B"の構築
  小島武（東京大学）

第1章　大規模言語モデルを研究する基盤

勉強会は月1回のオンラインと対面のハイブリッドで開催していますが、普段からSlackで様々な議論をおこなっています。現在400人以上参加していて半分は産業界、半分はアカデミアで、産業界も70社を超える企業の人々が参加しています。図5の左のグラフは、上のほうがSlackを閲覧するなどの参加をしている方で、400人といっても実際は300人程度はここで情報を取っているだけです。活発に議論しているのは左のグラフの下の線で50人から60人くらいですが、企業から活発に参加している方もいます。まだまだ手が足りないので、手を動かす方が増えてほしいところです。右のグラフはSlackへの投稿数ですが、週平均で1,000から2,000の間ぐらいの投稿があって、活発に議論している状況が見て取れます。

6 ── LLMの研究開発

先に述べたように、言語モデルの研究開発にはいろいろと課題があります。まずプレトレーニングで、特に大規模なコーパスを用意する必要があって、それをベースに大規模な計算資源を使ってモデルを構築し、それを最後のステップとしてチューニングし評価する必要があります。河原大輔氏、鈴木潤氏、宮尾祐介氏という日本を代表する研究者にWGの幹事をお願いしていて、活発に議論が進んでいます。

▶コーパスWG

それぞれのWGでの議論をご紹介します。コーパスは、トークナイザーから作らないといけない、つまり日本語の文を単語に切るところから設計しなければなりません。現在の主要なGPTなどのモデルは英語が主流ですので、日本語にはわずかな語彙しか割り当てられていません。漢字などはバイト単位で扱われていて、それが一つの処理単位になっています。そこをきちんと改善して、私たちは日本語に3万語彙を割り当てています。それで、最初は13Billionのモデルを学習するために270Billionトークン、約3,000万語ぐらいからなるウェブコーパスを整備して、フィルタリングなどもしています。いまはこのコーパスを使っていますが、将来もっと大きな175Billion

図5 Slackでの議論

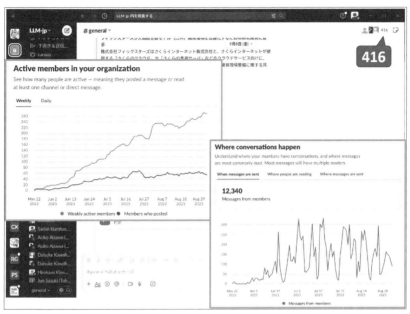

図6 LLMの研究開発

のモデルの学習をするためのコーパスとして、Common Crawl という公開
されているウェブコーパスから日本語を取り出して整備してフィルタリング
することや、新たなコーパスの開拓として JST、特許庁、国立国会図書館な
どのデータを活用する方向で議論をしています。また、いろいろな学術分野
に特化していくことも話し合っています。

▶モデル構築WG

　モデル構築については、先述のとおりデータ活用社会創成プラットフォー
ム協働事業体が運営している mdx という計算環境を利用しています。LLM-
jp の活動専用の仮想化環境を迅速に作ってもらい、計算基盤に関する課題に
対しても、自然言語処理の研究者だけではなく計算機システムの研究者とも
密な協働で解決していっています。現在、13Billion のモデルを96GPU の並
列計算で作っています。図8の上は loss 関数のグラフです。最初に例として
挙げた次の単語を推測していくときにうまく推測できればいいのですが、失
敗するとエラーになるため、そのエラーがどれぐらい減っていくかを示して
います。図の左は1.3Billion で準備をしたもので、右は現在13Billion が順調
に動いている様子です。構築したモデルは評価する必要がありますが、チュ
ーニング・評価WGで作った評価データと評価ツールで良好な結果が得ら
れています。この13Billion のモデルがある程度できたら公開したいと思っ
ており、次は175Billion に取り組んでいく予定です。

▶チューニング・評価WG

　最後のチューニング・評価WGでは、チューニングや評価の問題に取り
組んでいます。賢くなっていく言語モデルをどう評価するかも非常に難しい
問題で、まずは多様な評価データセットを作る必要があります。その設計の
仕方も議論していますし、実際にデータも作っています。図9のなかの表に
ずらっと並んでいるのが多様な評価データで、これは一つの研究グループだ
けではまったくできないことです。多数の研究グループで協力し議論するこ
とでデータもどんどん整備されますし、新たな気づきもあります。こういう
データを安心して使えるようなライセンスや、その環境の整備をして共通の
フォーマットで公開していくことを進めていきたいと考えています。

図7 コーパスWG

コーパスWG

● **Tokenizer の整備**
・語彙サイズ5万トークン（日本語3万、英語2万、コード1万）。
・改行、空白、特殊記号などもケア。

● **コーパス v1 の構築**
・13B パラメーターモデル学習用に 270B トークンのコーパスを整備。
　（日本語 mC4, Wikipedia 130B、英語 Pile, Wikipedia 130B、コード 10B）
・ウェブコーパスのフィルタリングツール整備。
　（ドメイン、有害ワード、圧縮率の利用など、評価用コーパスも構築）

● **コーパス v2 の準備**
・175B パラメーターモデル学習用に、Common Crawl 全量からの日本語テキスト
　抽出、重複除去、フィルタリング。

● **コーパスの開拓**
・JST J-STAGE 論文、特許庁特許文書、国立国会図書館インターネット資料収集保存
　事業（WARP）など。
・商用リソースなどを議論するデータ流通 - 標準化 WG、学術分野のコーパスなどを
　議論する学術ドメイン WG などを新設。

まとめ

　言語モデルの賢さや今後の進化は人類の知の基盤になりうるものです。非常に重要であるからこそ注目されていて、私たちの活動も成長しています。LLM の研究開発はもはやビッグサイエンスであるため基盤が重要で、オープンな活動にみんなで取り組むことで進めています。2023年度中に 175 Billion のモデルができれば、それを基盤にさらに様々な研究を展開することができると思っています。人的資源も計算資源もまったく足りないので、企業からの寄付なども受け付けています。学生にこの LLM インターンシップとして活動してもらうようなことも計画しています。「早く行くなら一人で、遠くまで行くならみんなで」ということわざがありますが、この精神で活動を続けていきたいと思います。

図8 モデル構築WG

モデル構築WG

● **コーパスv1（270Bトークン）を用いて12ノード96GPUで学習。**
（利用ツールやモデル構築のログを含めて公開予定、技術者の教育・参考資料としても有益）

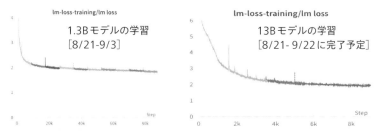

● **チューニング・評価WG提供の評価ツールで良好な途中結果。**
● **実行環境として9大学、2研究所協働事業体運営によるデータ。プラットフォーム mdx（https://mdx.jp/）を利用。**
・仮想化基盤➡LLM-jpの取り組みに専用の環境を迅速に構築できた。
・仮想化による性能・スケーラビリティの問題点も明らかになった。
・NLP研究者、基盤システム研究者（ネットワーク、HPC）の密な協働で解決に取り組んでいる。

図9 チューニング・評価WG

チューニング・評価WG

● **LLMのチューニング・評価の方式の検討とデータ構築。**
（英語データの翻訳も活用しながら、日本語nativeなデータを構築）
● **多数の研究グループが参加、グループ横断の議論・情報共有・気づき。**
（1つの研究グループでは実現できない多様性とスピード）
● **データのライセンスや利用条件を明確化し安心して利用できる環境を整備。**
● **開発したデータセットは共通フォーマットで公開。**

データ名	責任者・グループ名	簡単な説明
lm-japanese-dataset（拡張中）	東大和泉・坂地研	各種リソースから自動構築したデータ
（仮称）GPT4 Self-Instruct	京大黒橋研	GPT-4を用いたseed instructionからの自動生
（仮称）Japanese LIMA (WikiHow)	京大黒橋研	LIMA方式の少量データ構築
日本語インストラクションデータ	理研関根・乾チーム	研究目的を意識しインストラクションを人手で作
日本語小中学校国語問題データ	理研関根・乾チーム	小中学校の国語の問題を人手で作成
日本語StrategyQA	理研関根・乾チーム	日本語版のStrategyQA
日本語バイアスデータセット	理研荒井チーム・東大谷中研	バイアス・公平性のデータ（評価用データから機
各種評価データから作成したプロンプト	東大宮尾研	評価データのうち学習セットがあるデータをイン
Instruction backtranslation		
Flan Collection 翻訳	東北大鈴木研	英語データを自動翻訳
Super-Natural Instructions 翻訳	東北大鈴木研	英語データを自動翻訳
Alpaca 翻訳	東北大鈴木研	英語データを自動翻訳
LIMA 翻訳	東北大鈴木研	英語データを自動翻訳
RLHF インタフェース		

大分類	小分類	データ名	責任者・グループ名
Natural Language Understanding	形態素・構文・述語項構造・照応・共参照	Wikipedia Annotated Corpus	京大黒橋研・早大河原研
Classification & QA	Semantic Textual Similarity	JSTS	JGLUE（ヤフー・早大河原研）
Classification & QA	Natural Language Inference	JNLI	JGLUE（ヤフー・早大河原研）
Classification & QA	Natural Language Inference	JSeM	お茶大戸次研
Classification & QA	Natural Language Inference	JSICK	東大谷中研
Classification & QA	Natural Language Inference	JaNLI	東大谷中研
Classification & QA	Text Classification	MARC-ja	JGLUE（ヤフー・早大河原研）
Complex Reasoning	Knowledge Reasoning	JEMHopQA	理研AIP関根チーム
Complex Reasoning	Mathematical Reasoning	MAWPS	早大河原研
Complex Reasoning	Reasoning	JCommonsenseQA	JGLUE（ヤフー・早大河原研）
Complex Reasoning	Reasoning	PossibleStories-ja	NII菅原
Complex Reasoning	Reasoning	RULE-ja	NII菅原
Complex Reasoning	Reasoning	Japanese Vicuna QA Benchmark	東大黒橋研
Complex Reasoning	Temporal Reasoning	日本語時間推論データセット	東大谷中研
Comprehensive Evaluation Benchmarks	Human Exam	MMLU	早大河原研・理研AIP関根チーム
Comprehensive Evaluation Benchmarks	Human Exam	大学入試データ	東大宮尾研
Comprehensive Evaluation Benchmarks	Human Exam	中学・高校入試問題	理研AIP関根チーム
Human Alignment	Harmlessness	日本語有害表現スキーマ・データセット	LINE小林
Human Alignment	Harmlessness	日本語人権侵害表現データセット	NAIST荒牧研
Human Alignment	Social Bias/Fairness	日本語バイアスデータセット	理研AIP荒井チーム・東大谷中研
Knowledge Utilization	Closed-Book QA	JTruthfulQA（仮）	早大河原研
Knowledge Utilization	Closed/Open-Book QA	JNaturalQuestions（仮）	JGLUE（ヤフー・早大河原研）
Knowledge Utilization	Open-Book QA	JSQuAD	JGLUE（ヤフー・早大河原研）
Knowledge Utilization	Knowledge Base Completion	（仮称）Knowledge Base Completion	理研AIP関根チーム
Knowledge Utilization	Closed QA	NIILC Question Answering Dataset	東大宮尾研
Language Generation	Code Synthesis	AIZU Dataset	小田（東北・Baobab）
Language Generation	Code Synthesis	NLP100本ノック	岡崎研
Language Generation	Code Synthesis	MBPP	東大宮尾研
Language Generation	Conditional Text Generation	Japanese-Daily-Dialogue	東北NLP
Language Generation	Conditional Text Generation	JPersonaChat	NTT CS研
Language Generation	Conditional Text Generation	JEmpatheticDialog	NTT CS研
Language Generation	Conditional Text Generation	XL-Sum	BUET CSE NLP Group
Language Modeling	Syntactic Evaluation	JCoLA	東大大関研
Language Modeling	Syntactic Evaluation	JBLiMP	東大大関研
Language Modeling	Syntactic Evaluation	形式言語データセット	東大大関研
Domain-specific	Financial Domain	chABSA	chakki

第1章　大規模言語モデルを研究する基盤

第2章

NICTのLLMと
その周辺

鳥澤健太郎

はじめに

　本章では、私が所属している情報通信研究機構（NICT）で現在開発中の大規模言語モデル（Large Language Model。以下、LLMと略記）とその周辺の話題について紹介します。

　まず本題に入る前に、図1にここ数年のNICTの自然言語処理での成果を並べました。まず最初は、ウェブ上の160億ページのなかから抽出してきた情報をもとに検索ベースでいろいろな質問に答えるシステムWISDOM Xというもので、これは現在一般公開しています(1)。さらに、このWISDOM Xの技術を、災害時のSNS（交流サイト）を分析する対災害SNS情報分析システムDISAANA/D-SUMM、さらにはLINE経由で被災者と対話して被災情報の収集などをおこなう防災チャットボットSOCDA、あるいは高齢者介護の支援をする対話システムMICSUSなどに展開していて、一部はビジネスが開始されているという状況です。これらのシステムは、ChatGPTのようにテキストを生成するタイプではなくて分類するタイプですが、BERTというLLMをNICTで独自に構築して使っています。これは2020年に開発したものですが、22年末まで日本語では各種ベンチマークで最高性能を達成していました。例えば、このBERTを拡張したものを高齢者の健康状態をチェックする対話システムMICSUSで使うことで、日本各地の179人の高齢者に合計100時間近い対話をしてもらうという実証実験をおこないましたが、そこでは高齢者の発話の意味解釈で94パーセントという非常に高い精度を出

しました。また、MICSUS はウェブ情報を使って雑談できる機能があり、この雑談機能でも BERT を使っています。実証実験の前には「雑談がつまらない」などと、けちょんけちょんに言われるかと戦々恐々としていたのですが、実際には4回に1回は高齢者の笑顔や積極的な反応が得られたということで、実用レベルと言えると思います。⁽²⁾

1 ── NICT のテキスト生成 AI 開発

　一方で、ChatGPT のようなテキストを生成するタイプの LLM に関しては、法律的な問題や人種差別などのバイアスの問題があり、実際にサービス開始直後に炎上した企業も多かったため、基礎研究と捉えて大規模には開発していませんでした。しかし、ChatGPT が出現して世の中に一気に受け入れられたため、2023年の3月から本格的に開発を始めました。図2で示している入出力の例は、ほとんどが日本語である学習データでの事前学習をおこなった1,790億パラメーターのモデルによるものです。人のアイコンの枠が人間が入力したプロンプト、キャラクターの枠がそれに対するモデルの出力です。事前学習の完了を優先して構築したので学習データは小さいのですが、パラメーター数は GPT-3 並です。なお、このモデルは強化学習やファインチューニングなどは一切しておらず、事前学習しかしていません。最初の例は、知人がエーゲ海で新婚旅行をしてきたところだったので、「エーゲ海での新婚旅行のプランは」と思い付きで聞いてみたところ、「エーゲ海は、クルーズ船で島々をめぐるのがいい、さらにはギリシャ神話の舞台でもあり、また世界遺産でもあるので、新婚旅行にはぴったりだ」という趣旨を答えました。実際、その知人はクルーズ船でエーゲ海の島々を回ったそうで、この回答どおりの新婚旅行だったということです。

　次に「AI で科学研究を効率化するには」と聞いてみたところ、AI が人間の研究者のように自分で研究テーマを決め、自分で研究を進めるという回答でした。これが本当なら私たち研究者は失業してしまうかもしれません。最後に「本居宣長の映画のあらすじは」と聞いてみましたが、実は、本居宣長の映画は存在しません。つまり、図2に表示されている回答である本居宣長のラブストーリーは NICT の LLM が「創作」した、ハルシネーションの例

図1 NICTの自然言語処理——ここ数年の成果

深層学習、大規模言語モデルも用いた
大規模自然言語処理システム、対話システム、基盤技術

大規模ウェブ情報分析システム

ウェブ160億ページから様々な質問に回答。2015年から試験公開中。

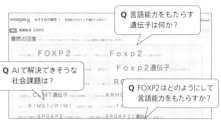

Q 言語能力をもたらす遺伝子は何か？

Q AIで解決できそうな社会課題は？

Q FOXP2はどのようにして言語能力をもたらすか？

> **深層学習版を2021年3月末から一般公開開始**

▼ **技術転用**

対災害SNS情報分析システム
DISAANA/
D-SUMM

「Twitter」情報を用いて災害に関する質問に回答。エリアを指定すると被害状況の要約も。自治体など、実災害で実際に活用。

> **民間企業へ技術移転ずみ**

2017年7月の九州北部豪雨で鉄橋流失を他に先んじて発見

▼ **技術転用**

防災チャットボット
SOCDA

被災者や自治体職員とAIがスマートフォンで対話をおこない、被害情報の収集、避難支援を実施。

> **民間企業がビジネス開始**

技術転用

次世代音声対話システム
WEKDA

ウェブ60億ページの情報を使って音声の質問に回答し、雑談もおこなう。対話時の省略など文脈処理も実施。

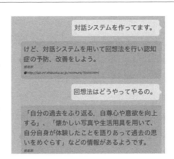

技術転用

マルチモーダル音声対話システム
MICSUS

介護支援のための
対話システム。

ウェブを用いた雑談で高齢者のコミュニケーション不足も解消。KDDI、NECソリューションイノベータ、日本総研と共同開発。

民間企業が商用化検討中、SIP終了後も開発継続中

内閣府SIPの支援によって、
日本の重要な社会課題解決に直結した技術を
研究開発

図2 NICTの生成AI — 1,790億パラメーターのLLM

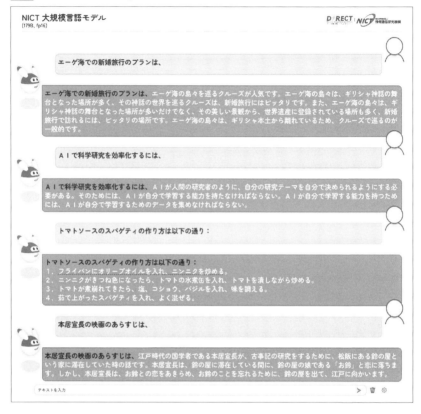

でもあるわけです。

　これまでの開発の経緯について述べると、2023年3月から9月までの間で、400億パラメーターのモデルを2つ、そして1,790億パラメーターのモデルを2つ作りました。事前学習時の学習データはすべてのモデルで同じで、そのほとんどが日本語データですが、同じパラメーター数の2つのモデルは数値計算の精度を変えています。そこからわかったのは、データが同じでも設定によって回答がまったく異なるということです。また、パラメーターの数が多いモデルの回答がいつもいちばんいいというわけでもなく、小さなモデルの回答がいちばんいいといったこともそれなりの頻度であります。

このことは比較評価も難しいことを示しています。

　いずれのモデルも、まだまだOpenAIのものと比べると未熟だと感じています。いちばん大きな問題は事前学習用データが350GBと小さいことです。ただ、この学習データは、先ほど述べた高性能なBERTの学習で使ったデータと同じもので、一般の日本語ウェブページから、小説や新書に書かれているようなテキストを論理的な話が多く含まれるようにクリーニングして集めています。BERTの開発時には、この学習データ以外にも様々な学習データを作って数十のモデルを事前学習していて、このなかで最も高性能だったのが350GBのデータで学習させた先述の高性能なBERTです。例えば、この350GBをテキストの品質が低下することを承知のうえで強引に1TBまで膨らませてBERTの事前学習をしてみましたが、そのときはBERTの性能が低下しました。つまり、この350GBのデータは、BERTの学習にそれなりに最適化された学習データと言えます。BERTも生成系のLLMも同じTransformerというアーキテクチャにもとづいているため、この350GBのデータでそれなりの性能が得られるかもしれないと考え、一連の生成系のLLMの学習でこのデータを使ってみたのです。

　また、NICTのモデルは入力・出力のテキストの長さが最大で256語で、OpenAIに比べるとかなり短いという違いもあります。現在は、独自に収集した600億件以上のウェブページから真っ当なテキストだけをなるべく長く、大量に抽出する手法を開発し、クリーンなデータをより大規模に集め、どうやったらさらに高性能なLLMを作れるのか、いろいろと試行錯誤をしているところです。並行してモデルの試作も継続していて、2023年11月には311億パラメーターのモデルの開発も終了し、現在評価をおこなっています。

2 ― LLMによる未知のリスク

　ここで話を変えますが、LLMの社会的影響は広範に及び、その効果は多岐にわたります。アメリカの元国防長官のドナルド・ラムズフェルドは、"unknown unknown"という表現を使って一世を風靡しました。これは"We don't know what we don't know"を意味し、日本語に訳すと「私たちは何を

知らないのかさえわかっていない」という状況を指していて、意訳すると「誰も考えたことがないような未知のリスクがある」ということです。実際、LLMに関してはそのような "unknown unknown" がたくさんあるのではないかと疑っています。歴史上で類似したケースを探してみると、産業革命にもそうした "unknown unknown" がたくさんあり、そのなかで最も深刻だったのが地球温暖化ではないでしょうか。おそらくジェームズ・ワットなど、産業革命を推進した人々、特に蒸気機関や内燃機関を発明した人々の頭のなかには、それらの機関が排出する二酸化炭素が200年後に人類を滅亡させるのではないかなどという考えはほとんどなかったと思います。

　これは少し前の話になりますが、AIに関する "unknown unknown" にどのようなものがあるかヒントを得ようと、冒頭で紹介した検索ベースの質問応答システムWISDOM Xに「人工知能が進化するとどうなるか?」と聞いてみました。そうすると、「話し相手に困らなくなって結婚しない人が増える」という回答が出ました。WISDOM Xには芋蔓式に様々な質問をすることができるのですが、「結婚しない人が増える」結果、当然ではありますが「少子高齢化が進む」、さらには「少子高齢化が進む」結果、「日本経済が窮地に陥る」という回答が出ました。これを最初に見たときには「ほんまかいな」と思いましたが、その後ウェブ上の情報をいろいろみていくと、新聞が実施した一般市民向けのアンケートでも「女性に縁がないのでAIに恋人役をしてもらいたい」という趣旨の身につまされるような回答があったため、まったく根も葉もない話でもないかと思います。実際、画像生成AIで作られた絶世の美男子や美女と、いろいろ文句も言わずに甘い台詞ばかり言う言語モデルとを組み合わせたら、そっちのほうがいいと言う人も今後は一定数出てくるのではないでしょうか。そうなると、結婚しない人が増えるという話も現実味を増してきますし、長期的にはこれが原因で人口減少に拍車がかかることもありえると思います。これなどは、多くの人が想像さえしたことがないという意味で "unknown unknown" の例になる可能性があるのではないでしょうか。

　次に、より近い将来の話をします。NICTでも半年程度でいくつものLLMを作れたのですから、今後、いろいろな人たちが生成AIを作るでしょうし、なかには身元を明らかにせずに生成AIを作る人たちも出てくるだろうと思います。つまり、制作者不明、正体不明の野良生成AIが今後大量に

出てくる可能性があるわけです。実際すでにいろいろな例が出てきていて、マルウエアを作り放題だとか、その生成AIと対話したら将来に絶望して自殺した人が出たとか、そういった報道も出始めています。今後、さらに強力な野良生成AIが多数出現した場合、それらが生成した偽情報や不適切な情報によって日本社会が混乱し、知らない間に私たちが洗脳されてしまうというリスクもあるかもしれません。

3 ── LLMに議論はできるか

これについて、対症療法的な対策はいろいろあると思いますが、抜本的な対策の一つとして私たちが考えているのは、図3にあるように、いろいろな生成AIに互いに議論させるというものです。生成AIが互いに批判しあって不適切な情報を排除することで、よりいい結果を生み出すことができるのではないかと考えています。また、そうした議論を人間が精査すれば、より適切な意思決定も可能なのではないかと考えます。

一方で、そもそもLLMは議論ができるのかという疑問も出てくるでしょ

図3 多様な生成AIによる議論にもとづく意思決定

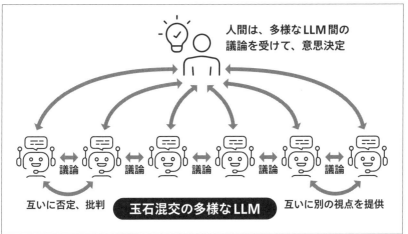

う。この疑問に答えるために、NICTのLLMと議論ができるか試してみました（図4・図5・図6）。ここでは、言語的なやりとりとは、「主張の根拠を与えたり、要求したりするゲーム」（"game of giving and asking for reasons"）である、というウィルフリド・セラーズやロバート・ブランダムなどの哲学者の発想を参考にしてみました。結論から言うと、NICTのLLMでも議論らしきことは可能ですが、改善点は多々あるようです。図4は実際のNICTの1,790億パラメーターのモデルとの議論の様子です。議論のお題になる主張にはあえて議論百出のテーマを選び、「地球温暖化の解決のために増やすべき自動車のタイプは、電気自動車ではなく、ハイブリッド車である」というものにしました。なお、図4から図6でのLLMとの議論は誰がみても妥当なものになっているという保証はありませんので、注意してください。最初に人間、つまり私が入力したお題がいちばん上の枠、それ以外は人のアイコンの枠が私の入力、キャラクターの枠がLLMの応答です。まず、私がお題になる主張の根拠をLLMに尋ねると、返ってきた回答、つまり根拠は「電気自動車の電気は火力発電所で作るので、二酸化酸素が排出されるから」というものでした。それに対して、「しかし、ハイブリッド車も二酸化炭素をたくさん排出する」と反論、つまり、相手が提示した根拠が不十分であることを指摘する入力を与えてみます。するとLLMが導き出した結論は、ちょっと大胆な正論で私も驚いたのですが、「（電気自動車、ハイブリッド車を問わず）自動車（全体）を減らせ」というものでした。ここでめげずに「自動車を減らすと経済的に人類は存続できないんじゃないか」と反論してみます。すると、「自動車を減らすことはできないので、燃費をよくするために炭素繊維で車を作って軽量化することが必要」と私には想定外のアイデアを出してきます。ここで諦めずに「炭素繊維も作るのに二酸化炭素をたくさん排出する」と食い下がると、堂々巡りですが「自動車（全体）を減らせ」という、受け入れがたくはあるものの、正論に落ち着きました。

　一方、興味深かったのは、図5のように「電気自動車はどのみち電気を火力発電所で作るからダメだ」というお題の根拠をLLMが述べたあとに、「原子力発電所が増えれば」とか「風力発電や太陽光発電が増えれば」という仮定の話を振ってみたところ、そこから導かれる結論として「原子力発電を増やすべき」とは言わないのですが、「風力発電や太陽光発電は増やすべき」とは回答することです。そもそも学習のプロセスは非常に複雑で確証はでき

図4 LLMによる議論①

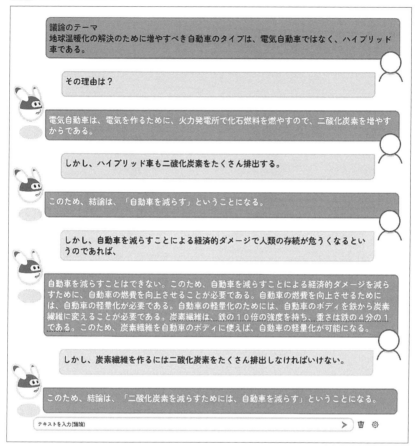

議論のテーマ
地球温暖化の解決のために増やすべき自動車のタイプは、電気自動車ではなく、ハイブリッド車である。

その理由は？

電気自動車は、電気を作るために、火力発電所で化石燃料を燃やすので、二酸化炭素を増やすからである。

しかし、ハイブリッド車も二酸化炭素をたくさん排出する。

このため、結論は、「自動車を減らす」ということになる。

しかし、自動車を減らすことによる経済的ダメージで人類の存続が危うくなるというのであれば、

自動車を減らすことはできない。このため、自動車を減らすことによる経済的ダメージを減らすために、自動車の燃費を向上させることが必要である。自動車の燃費を向上させるためには、自動車の軽量化が必要である。自動車の軽量化のためには、自動車のボディを鉄から炭素繊維に変えることが必要である。炭素繊維は、鉄の１０倍の強度を持ち、重さは鉄の４分の１である。このため、炭素繊維を自動車のボディに使えば、自動車の軽量化が可能になる。

しかし、炭素繊維を作るには二酸化炭素をたくさん排出しなければいけない。

このため、結論は、「二酸化炭素を減らすためには、自動車を減らす」ということになる。

テキストを入力（議論）

ませんが、事前学習で使ったデータに原子力発電反対論や再生可能エネルギー推進論のテキストが大量にあって、いわば世論に忖度をしているかのような応答をしているのではないかと推測しています。こうした忖度も、将来的にはLLMの課題として認識されるようになるかもしれません。

同一の学習データを使っていても、設定が異なるモデルでは出力が大きく異なることはすでに述べました。この議論でも、図6に示すように400億パラメーターのモデルでは、議論の傾向や結論が大きく変わります。このよう

図5 LLMによる議論②

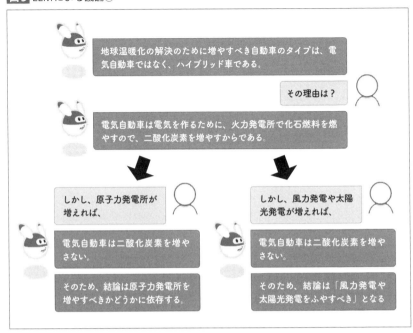

図6 LLMによる議論③

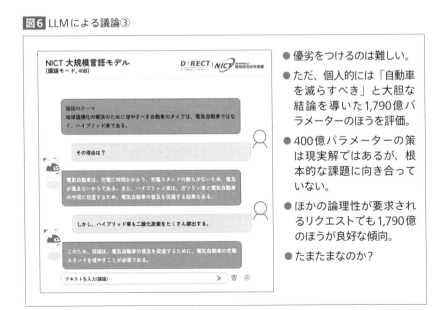

に異なるLLMが異なる結論を導くということは、やはり、一つのLLMが言うことをうのみにするのではなくて、多数のLLMで議論をさせたほうがより適切な意思決定につながる可能性を示しているのではないでしょうか。また、議論の方向性が人間の入力に大きく引っ張られ、最終的にバラバラな結論が出ることが多いという印象もあります。理想としては、このようなバラバラの結論をすべて議論のなかで検討し、バランスが取れた結論を出せるLLMをどうやったら作れるのかを考えていくことも必要でしょう。

　また、仮にLLMに議論が可能だったとしても、議論のなかで主張の根拠として提示された情報が偽情報であれば意味がないわけで、この点についても対策が必要です。現在、私たちはこの対策として、LLMが生成したテキストやその根拠を、冒頭で紹介したWISDOM Xを使ってウェブ上から探してくる「裏取り」システムの開発を進めています。例えば地球温暖化対策の質問に対してLLMが「電気自動車にするのがいちばんいい」と回答した場合、「なぜ地球温暖化対策では電気自動車にするのがいちばんいい?」という質問をWISDOM Xに自動的に入力し、「走行中に二酸化炭素を排出しないから」というLLMの出力の根拠になるウェブ上のテキストを検索して表示します。LLMの生成テキストと人が書いたテキストを単にマッチングするだけではなく、一歩進んで、人が書いた情報の「根拠」を示すことが重要だと考えています。もちろん、ウェブ情報の信頼性についても議論があるところですが、現状のLLMのハルシネーションによるもっともらしい嘘よりは、少なくとも誰か人間が書いただろうテキストを根拠として提示するほうがいいのではないかと思っています。なお今後、ウェブ上にもLLMのハルシネーションによる偽情報が増えていくでしょうが、この対策もぜひとも研究しなければいけないテーマです。

　また、やはりLLMにももっといろいろな視点で議論をしてもらいたいと思います。例えば、図7に示すように、WISDOM XとChatGPTに、「日本のこれまでの少子化対策は何が間違っていましたか」と聞いて、回答を比較してみました。そうしますと、ChatGPTはさすがで、非常に整った、わかりやすいテキストを生成します。まとめると、忙しすぎる女性や経済的に不安定な若者への支援が不十分だということのようです。同じ質問をWISDOM Xに投げてみると、書きぶりがバラバラなので回答を理解するのに少し時間がかかりますが、「未婚者への寄り添いが不十分」「子どもにつら

図7 ChatGPTとWISDOM Xの比較

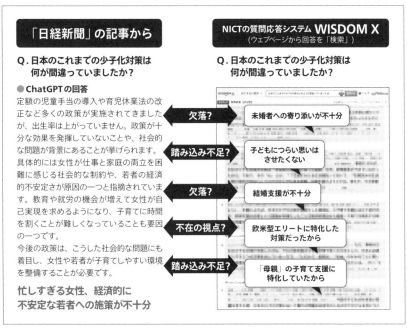

（出典：「ChatGPTと考える　少子化ニッポンの成長の道」「日経新聞」〔電子版〕2023年4月7日付〔https://www.nikkei.com/article/DGXZQOUA15AO20V10C23A2000000/〕〔2024年1月9日アクセス〕）

い思いはさせたくない」などのChatGPTの出力には含まれていない回答が多数出てきます。一般論としても、より多様な視点をLLMの出力のなかに入れていくことも重要な課題の一つではないかと思います。また、先ほどLLMの議論はユーザーの入力に過度に引っ張られやすいと述べましたが、そうした傾向への対策としても検討が必要だと思っています。

　また、多様な視点という観点とも関連しますが、ChatGPTやNICTのLLMは一般論に強く、ユーザーの知らない分野に関しては有用なことを書いてくれますが、深い知識に関しては相対的に弱いようで、ユーザーが深い知識をもっている専門分野に関して聞いてみると月並みな応答が返ってきてがっかりする、ということが多い気がします。例えば、私たちは高齢者向けの対話システムを作ってきましたので、その具体的な用途の可能性、言い換

図8 尖った将来シナリオの生成

ChatGPT（GPT-4）の出力
（2023年6月5日作成）

対話システムを開発して高齢者のQoLを向上させるためには具体的にどのような用途がありそうでしょうか

高齢者のQoL（Quality of Life：生活の質）を向上させるための対話システムの開発には、以下のような用途が考えられます。

1. **健康管理支援**：高齢者の日常的な健康管理をサポートするための対話システムは、症状のモニタリングやリマインダー機能（薬の服用時間や定期的な医療チェックアップなどのリマインダー）を提供できます。
2. **エンターテイメント**：音楽、物語、クイズゲームなどを提供し、高齢者が楽しみながら脳を活性化させることができます。
3. **情報提供**：天気予報、ニュース、地元のイベントなどの情報を提供することで、高齢者が外の世界とつながりを保つことができます。
4. **社会的つながりのサポート**：対話システムが家族や友人との通信をサポートすることで、高齢者の孤独感を軽減することができます。
5. **日常生活のアシスタンス**：簡単な質問応答、日常生活のリマインダー（ゴミの日など）、料理のレシピ提供など、日常生活のさまざまな側面で支援を提供できます。
6. **認知予防および支援**：認知症に対する初期介入として、または認知症患者のケアとして、メモリーゲームや昔の状況を思い出させるような対話を提供することができます。
7. **エクササイズ指導**：軽い運動やストレッチの指導を行い、健康維持に役立てます。
8. **感情的サポート**：会話によって高齢者の感情的な状態を理解し、慰めたり、励ましたりすることができます。

これらの用途を考慮に入れて、対話システムを設計するときには、利用者のニーズや嗜好、そして可能な限りの使いやすさを確保することが重要です。

NICTの独自将来シナリオ生成技術

［入力］
対話システムを開発する＋高齢者

対話システムで詐欺的投資勧誘などの悪質商法から高齢者を保護する
→ 高齢者を狙った悪質商法や特殊詐欺の手口などの情報を提供する対話システムを構築する

対話システムで高齢者の食生活を支援する
→ 対話システムが高齢者に対して、宅配による配食サービスを実施する

対話システムで地域住民との交流を促進する
→ 対話システムが地域住民とバーベキュー大会を企画する

より尖った将来シナリオでイノベーションのヒントを広く提供？

えると、高齢者向け対話システムに関する将来シナリオや仮説について ChatGPTに聞いてみると、図8のように非常にきれいにまとまったテキストでいろいろな用途を箇条書きで提示してくれます。しかし、私たちはこのテーマに関して数年間研究開発をしてきたので、提案された用途はすべてすでに検討ずみというのが正直なところです。このためNICTでは、専門家も驚くような「より尖った将来シナリオ、つまり仮説」を出力することを目的にした技術の開発も進めています。現在のプロトタイプに「対話システムを開発する」ことに関して「高齢者」に関係が深い将来シナリオを作るように指示を出すと、使い物にならない将来シナリオもたくさん出てきますが、「オレオレ詐欺に関する情報を提供して詐欺を防止する」や「高齢者の食生活を支援するために対話システム経由で配食サービスをする」、さらに、SFのようではありますが、地域住民との交流が健康長寿に非常に重要だということで、「対話システムが地域住民とのバーベキューを企画する」など、高

齢者向け対話システムの開発を数年間おこなってきた私たちからしても意外で尖った仮説が出てきます。このあたりは企業などでのLLMの活用でも非常に重要なテーマだと聞いているので、今後さらなる研究開発をしていきたいと思っています。

4 ── 学習用データの重要性

最後に、学習用データの重要性についてあらためてふれておきます。私たちのモデルが比較的小さい学習データでもそれなりに動いているのは、データがきれいだったからではないかと思っています。ウェブ上には、「トップに戻る」などのナビゲーション目的のテキストや、ひたすら名詞が並べられたカタログ的なテキストが大量にあります。きちんと検証できているわけではないのですが、私たちは、こういったテキストは事前学習ではそれほど有効ではなく、いわゆる文庫や新書にあるような整ったテキストだけで事前学習をするのが理想という仮説を立てています。私たちの調査では、そのような整ったテキストは、ウェブデータ中にはごくわずか（HTMLタグ削除後で2パーセント程度）しかないという結果が出ていて、現在、このような整ったテキストだけを抽出する技術を開発しています。今後はこうした技術も使い、NICTで収集ずみの600億件以上のウェブページ（ほとんどが日本語）から作成したクリーンな学習データやそれで学習したモデルを、法的課題をクリアしながら民間企業などに提供していく予定です。

おわりに

本章では、NICTで開発中のLLMやその周辺技術について紹介しました。これらの技術の高度化は引き続き実施していきますが、いちばんお伝えしたいメッセージは、生成AIは、"unknown unknown"ともいうべきまったく未知のリスクも含めて、様々なリスクがある技術であり、その対策は必須だということです。また、こうした対策の一例として、多様な生成AIが互いに議論する民主的なAIの世界の可能性についてもふれました。そもそ

も、民主的にAI同士が議論して結論がまとまるのか、話が誤った方向にいかないのかなど、いろいろ課題もあると思いますが、最後にウィンストン・チャーチルが第二次世界大戦後すぐの演説で言ったとされる言葉で本章を締め括りたいと思います。「民主主義というのは最悪の政治体制である。ただし、これまでに歴史上試されてきたほかのすべての政治体制を除けば」

注
―――
（1） 「WISDOM X」「NICT」（https://www.wisdom-nict.jp/）［2024年1月9日アクセス］
（2） 「MICSUS」「NICT」（https://direct.nict.go.jp/#高齢者介護支援マルチモーダル音声対話システムMICSUS）［2024年1月9日アクセス］
（3） 例えば、Robert B. Brandom, *Tales of the Mighty Dead: Historical Essays in the Metaphysics of Intentionality*, Harvard University Press, 2002, p. 352.

第 **2** 部

生成 AI の
利活用

生成AIの活用と懸念に対する対策

井尻善久

はじめに

　本章では、私が勤めているLINEのデータサイエンスセンター、また、ソフトバンク傘下に立ち上げたSB IntuitionsでLINEやヤフージャパンとも協力しながら生成AIをどのように活用しているか、その取り組みの一部を紹介します。また、企業で生成AIを実際に応用するにあたって、どのようなことに気を付けているのかについても解説します。

1 ― AIの進化

　私たちは、推論、すなわち考えることは、人間だけのなせる技と考えてきたわけですが、現在のAIは、そうした知的作業を機械にやらせようという発想で進展してきています。古くはルールベースから始まり、現在は機械学習ベースに変わりつつありますが、それを支えているのが計算機と機械学習理論の発展です。このおかげで、単純な判断しかできなかったところから、より複雑な出力をともなう生成ができるようになり、人間が日々おこなっている思考の領域に近づいてきていることは、みなさんもお気づきのとおりです。企業は、そうした技術進化を活用すれば様々な分野でビジネスイノベーションが起こせるということで注目しているのです。
　生成AIの何がそれほどまでにセンセーションを引き起こしているかとい

図1 LINE での基盤モデル構築。
36億パラメーターモデルを企業利用も可能な形態で公開

うと、やはり「考える」能力で人間を打ち負かす可能性をみせている点でしょう。覚えている人も多いでしょうが、最初にそうした可能性をみせたのは、Deepmind が2015年に開発し、囲碁のヨーロッパ王者にハンデなしで勝利したコンピューター囲碁プログラムのAlphaGo でした。このときには、私を含めて研究者も、囲碁という限られたルールの世界だからできたことだ、オープンな文脈ではAIはまだまだ人間には勝てないと思っていました。しかし、それから第1章「大規模言語モデルを研究する基盤——LLM-jp」（黒橋禎夫）で紹介したような様々なイノベーションがあり、AlphaGo の7年後の22年にはChatGPT が公開されました。思った以上に早く言語・画像理解を含む人間が普段おこなっているようなオープンな思考でも、人間と同じようなレベル（場合によっては人を超えるようなレベル）で考えることができているように思われ、センセーションを引き起こしています。これを支えているのはウェブ上の膨大な知識に加え、人間のフィードバックです。

2 — LINE での生成AI開発

　LINE でもかなり初期からコーパスを用意し、日本語の大規模言語モデルを作り出してきました。初期のものは韓国NAVER と共同研究して進めてい

図2 LINEでの基盤モデルの活用

文書作成支援
要件だけのメールで作文
文書校正・整形・タイトル生成

デジタルマーケティング支援
キャッチコピー作成支援
大量の商品に対する商品説明

情報収集支援
大量のデータにもとづく質問回答
文書の要約・レポート生成検索

カスタマーケア支援
顧客一次サポート・振り分け
コールセンターのさらなる自動化

その他 コーディング支援・文法チェック・翻訳…

ましたが、昨今の経済安全保障の問題もあり、現在はLINE独自の言語モデルを構築しながら、冒頭で紹介したSB Intuitionsではさらに大規模な言語モデルを作ろうとしています。一部の研究成果はオープンソースで公開しています（図1）。今後も研究成果をコミュニティーにフィードバックしながら、協力していく予定です。

▶生成AIの応用

こうした生成AIの進化をどのように応用しようかということについては、これまで図2に示している4つの分野で考えてきました。1つ目は文書作成の支援です。文書作成は、カスタマーケアなどの顧客サポートや社内の様々なやりとりの際に発生します。そこで、短時間で高品質な文章を書くための支援をする技術を構築してきました。

2つ目に、文章を書くという意味では同じですが、デジタルマーケティングで活用することも検討しています。これは、大量のキャッチコピーなどの広告に関わる文章の生成や、Eコマースで何百万点という大量の商品に対して正しい説明を付けることも含みます。

3つ目の情報収集の支援に関しては、大量のデータにもとづく質問回答や、文章の要約、検索結果のまとめ生成なども検討しています。

4つ目のカスタマーケア支援については、顧客の問い合わせへの一次サポートや振り分け、コールセンターの自動化を推進しています。

図3 基盤モデル活用でのダウンサイド懸念

▶生成AIに関わる懸念

　これらを実用化するにあたっては様々な懸念があり、それらを一つひとつ解決していかなければなりません。一部については、完全な解決はできないため社会の理解も求める、あるいは理解してもらえる範囲のなかで運用するということも含めて考えていく必要があります。

　例えば、図3のように4つの側面に分けて整理することができます。図の上半分が顕在化しやすい、あるいは直接的であるもの、下半分が潜在的もしくは間接的なものを表しています。下はどちらかというと心配が先行するようなところで、上はより明示的な課題です。

　上の顕在化しやすい課題には、法的・経済的な観点で議論すべきものが含まれています。経済的課題には例えば、生成AIが既存のエコシステムを破壊してしまう、あるいは逆に実際に生成AIで収益が成り立つのか、などがあります。AIによって大きな市場ができたときには、その利益分配スキー

ムも含めて考えていかなければならないということです。巨大なモデルをサービスとして提供しようとするとそれなりにコストがかかりますが、そのなかでどのように収益性とコストを考えていくかというビジネスの本質的な課題も依然として残っています。

倫理的な課題としては、よく言われているように有害な生成やプライバシー・機密情報の暴露問題、公平性の問題、あるいはAIが人を評価したり支配したりすることがあっていいのか、という一部感情的な議論もあります。社会的課題は、フェイクコンテンツや情報の安全性、セキュリティー、情報操作や偏った情報による洗脳、あるいは判断の不透明性や、問題があった際に容易に改善ができるのかなどです。もっと大きな社会的課題としてはグリーンやエコ、温暖化への影響などの懸念もあり、一企業として解決できる課題もあれば、その規模を超えたものもたくさんあります。

▶懸念に対する技術的な取り組み

これらの課題に対して、サービスプロバイダー各社としても最低限努力すべき対策として技術的対策があり、これらは技術開発のテーマとして考えています。生成物の有害性や、含まれる情報の中身に関して保証はできないまでも、サービスプロバイダー側として問題の解決にできるかぎりの努力をすることは必要だと考えています。

AIにはガードレールが必要とよく言われます。例えば、図4の中央に位置するのが私たちが保有する生成AIのコアだとすると、その両サイドが入力側と出力側で、ユーザーが問いかけたことに対して有害な表現を出力しないように事前にできるかぎり抑制する対策と、それでもコアエンジンが有害な生成をしてしまったときに結果としてそれが流出してしまうのを止める事後制御という対策を表しています。

わかりやすいのは事後制御ですが、例えば有害性を判定してフィルタリングすることが考えられます。LINEでは、禁止語句フィルタリングだけでなく、文脈に応じた有害性判定に関する研究開発をしています。同じ単語であっても使われる文脈によってかなり意味合いが変わってしまうため、有害性の判定は一筋縄ではいきません。そこで文脈に応じた有害性の判定をする必要があり、例えば正規表現などではできないので、判定のための小規模な言語モデルを用いることも検討しています。そのようにして構築した事後制御

図4 AIにはガードレールが必要（LINEの対話システムの全体像）

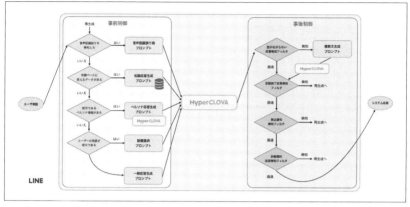

（出典：BlenderBot 2.0〔Xu et al., 2021; Komeili et al., 2021〕）

フィルタに引っかかったものは有害性がなくなるまで言語モデルに再生成させるというやり方で、有害な表現が流出してしまう可能性をできるかぎり少なくする機構を考えています。

NGワード＋有害表現判定（非倫理的応答検知フィルタ）

課題

・攻撃的な文章が予選で生成されてしまった場合。

・NGワードリストだと抜けて漏れる。

　例：「謝っても許さねえぞこの野郎。とりあえず次会ったら顔面ぶん殴ってやるから覚悟しとけよ」（ライブコンペティション4の予選から）

解決法

・非倫理的応答検知フィルタを追加して強化。

・NGワードリストを適用。

・＋非倫理的文章の分類モデル（詳細は公表できるよう鋭意努力中）。

情報の信憑性という観点では、ハルシネーション、すなわちAIが自信を
もって嘘をつくことがよく課題になりますが、これに対しても様々な検討を
しています。例えば第1章でもふれているように、ユーザーの問いかけが何
かの知識を問うようなものだった場合には、そこからキーワードを抜き出し
たうえで検索によって別の信頼できる情報源から内容を調べておき、それを
プロンプトに組み入れて生成するような検索拡張生成（Retrieval Augmented
Generation）の一種の利用です。これによって、検索対象の情報源が正しく
アップデートされていれば、時事ニュースなどに関しても正しく答えること
ができるようになります。検索拡張生成を用いると、外部知識と生成ロジッ
クを分離することで、日々アップデートされる最新の知識を上手に取り込め
ると考えています。そのようにして、ハルシネーションの低減を目指す対策
をしています。

　このように、技術的にボトムアップできるところからの対策にはすぐにで
も取り組むべきですが、一方で信頼し安心できるAIを考える場合にはほか
にも様々な側面があり、それらをトップダウンに考える必要性も同時に押さ
えなければならないでしょう。言語モデルにはいろいろな側面があります
が、その側面を一つひとつ評価して、その言語モデルがもつ潜在的な有害性
や危険性を知っておくためのフレームワークの検討が必要です。

　その一つの試みとしてEthics Radarという構想を進めていて、ここでは3
つの軸、すなわち、ハームレス、フェアネス、コンフィデンシャリティとい
う軸で評価しています。

　様々な側面をレーダーチャート形式で評価するという意味を込めて、レー
ダーと名付けています。そういった評価をして、レポート形式で、各軸がど
のくらいの点数を取っているのか、定性的なものをある程度定量的にして示
すようなフレームワークになっています。全体的な評価としてのオーバーロ
ールと、なぜそういう評価になったのかを含めて示してくれる評価システム
を構想しています。評価に関しては2つの側面があり、生成の滑らかさやク
オリティー、正しさなどの生成の効果に対する評価もありますが、一方でそ
のリスクに対する評価も重要と考え、それも含めて検討しています。

　大規模かつ入念にチューニングされた言語モデルの評価は簡単ではないと
第1章でも述べていましたが、実際にどうテストするかは大きな課題です。
それに対して、効率的なテスト方法を編み出すという試みもしています。あ

図5 ハルシネーションの低減

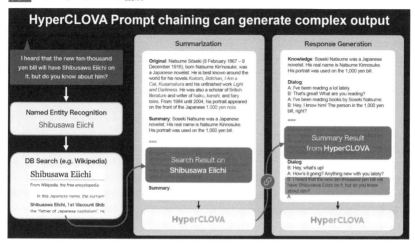

図6 Trustworthy AIに向けて

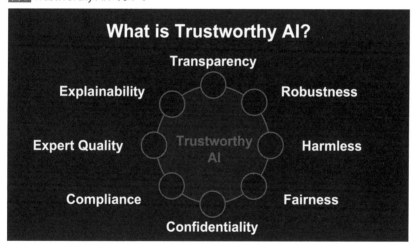

図7 Ethics Radar①

図8 Ethics Radar②

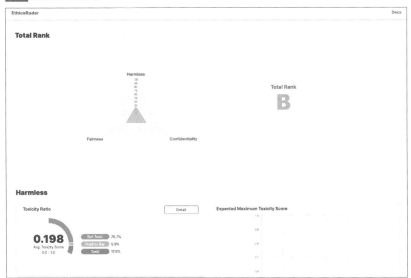

図9 Iterative Stochastic Few-shot Generation（CSS2022奨励賞受賞）

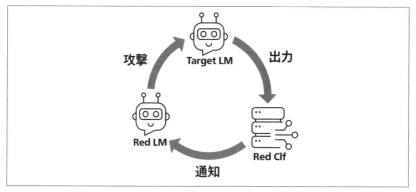

（出典：綿岡晃輝／野崎雄斗／馬越雅人／高橋翼「言語モデルの倫理的検査のための効率的なテストケースの生成」「コンピュータセキュリティシンポジウム2022論文集〔CSS2022〕」情報処理学会コンピュータセキュリティ研究会、2022年）

まり詳しく見せることはできませんが、対象になる言語モデルを評価するための攻撃用言語モデルを構築し、けしかけるような問いかけにどのくらい乗ってくるのかというテスト形式になっています。そのようにけしかけるなかで有害生成が出ると、それを有害表現判定器などによって捕捉し、どのような呼びかけに対してどのような出力が得られたのかを攻撃用の言語モデルに通知させます。あとは回帰テスト的にそこからバリエーションを生み出していくというのを繰り返すことで攻撃パターンをアップデートしていき、言語モデルがもつ潜在的な危険性をあぶり出すようなテスト方法になっています。その結果、比較的短時間で先ほど述べたような評価結果を得ることができます。それで得られた結果を見て、どの程度なら許容レベルかを判断するのは人間ですが、このようなレーダーチャート形式のレポートを出すことで、生成AIモデルをサービス活用することの危険性をある程度事前に把握したうえで判断できるようになるのです。

▶技術以外からのアプローチ

懸念点の整理に話を戻すと、様々な懸念があるなかで、その一部については法的対策が必要な場合もあります。法的観点でのポイントを大きく分けると、著作権に関する論点と個人情報・プライバシーに関する論点に集約でき

ます。これは後ほど第10章「生成AIと著作権」（奥邨弘司）で専門家からの詳細な説明がありますので、私のほうでは少しふれるだけにしておきます。

まず、著作物を学習データに取り込むのは問題かどうかに関してです。日本の著作権法は、他国と比べてAIの学習にとって有利な形式になっているといわれますが、一方でサービス主体によって利用規約に商用利用禁止・ダウンロード禁止・クローリング禁止などと書かれているデータの扱いをどのように考えるのかについては、法的・事業的判断として各社で判断が分かれるところでしょう。LINEとしては、リスクを重視してかなり慎重な姿勢で臨んでいて、各データプロバイダーの利用規約をしっかりと守りながら開発しています。その範囲内で開発するのは、大規模な生成AIの開発の観点からは、かなり制限がある状態だと思います。

プライバシーの課題に関しては、個人情報を学習データに利用することに関する懸念がありますが、利用目的を明示して本人が同意する範囲で使っているのであれば問題はなく、そうでない場合には当然問題になります。また、法律上、個人情報提供者からの要請によって個人情報を削除しなければならないことがありえますが、その際にすでに学習してしまったものをどうするのかなどの課題が残っていると思います。要請を受けて学習データから情報を削除した際に、そのデータがない状態で再度学習し直さないといけないとなると、現状ではそのつど大規模な計算を走らせ直す必要が出る可能性があり、不便なので技術的な課題も絡めて考える必要があるかもしれません。また、AIサービスに対して個人情報を提供するという点に関しては、利用者側の課題になるかもしれませんが、適切なデータ保守手段などが講じられていることが重要になるでしょう。

図3の下半分で示した倫理的・社会的な課題は、顕在化はしておらず心配や懸念が先行している面も大きいですが、対策は必要です。その多くはすでにAIガバナンスの議論のなかで、日本も含め主要国では国家的に取り扱い方法や規制について議論がなされているところです。今後のAIガバナンスに関する議論と整理状況を見守る必要があります。

図10 AIは進化したが、それで何を解決するか?

苦渋解放型	特殊技能支援
● 3K業務　● ルーティンワーク ● 間違いが許されない業務 ● 高い処理効率を要求される業務	● 創作　● 技能　● 専門知識
⬇	⬇
苦痛を伴う業務から解放	**人と機械の協調で仕事に 追われる専門家を支援**

3 — 社会から理解される生成AIの応用に向けて

　AIをどこに、どのように応用するかという方針は、どの企業でも考えるべきことです。各方面からいちばん理解を得やすいのは、苦痛をともなう業務や理不尽をともなう業務を代替する苦渋解放型で、多くの場合、経済効果も現れやすくなります。このように、人を助けるように活用していくのは非常に重要ですし、まだまだビジネスチャンスもあると思います。また、特殊技能支援型という応用方針もあります。それは仕事に追われる専門家を人と機械の協調で支援する、あるいは専門家ではない人々を支援していくような応用方針で、重要視される場合もありますが、一部その専門家の仕事をAIが奪うような構図になり、心配を与えてしまうこともあるかもしれません。現状では、苦渋解放型のほうがビジネス展開するときに受け入れられやすいと考えています。

　結局のところ、社会的許容がいちばん重要になっていくでしょうが、ここに最も時間がかかるというのが事実かもしれません。そうした理解を得るための活用方針の明確化と、サービス提供側の技術的・運用的観点からの責任ある活用方針の提示が、理解の促進につながるとみています。

社会的許容（ここがいちばん難しく時間も必要）

・社会的認知と許容のなかで活用が進む。
・サービス提供側の責任ある活用が基本。
そのうえで、
・高い利便性と効率性の提供。
・変化を強いられる側への補償や収益基盤の提供。
・利用側への啓蒙活動と適切な利用制御。
・そのほか、AI活用による副作用の解決手段提供。

　社会に安心して受益してもらえるようにビジネスを展開していくことが、なにより重要ではないでしょうか。

注

（1）　2023年9月14日のシンポジウム開催後、23年10月1日にLINEとヤフージャパンは経営統合し、現在はLINEヤフーに社名変更していますが、シンポジウム開催時の社名のままで記載しています。

（2）　シンポジウム当時は、実用性について十分な理解が進んでいるかは不明でしたが、本章を執筆している2024年1月時点では、様々なエージェント機能が一般的に活用され、どのエージェント機能でもRAGは必須のソリューションテンプレートのようになっています。一例に、OpenAI提供のAssistants APIや、Microsoft開発のSemanticKernel、そのほかLangChain、AutoGPTなどがあります。

言語生成AIの弱点
──なぜChatGPTは計算が苦手なのか

湊 真一

はじめに

　京都大学の情報学研究科で教授を務めている湊真一です。現在は、学術変革領域という科学研究費の大きなプロジェクトで、理論と応用をつなぐ「アルゴリズム基盤」という課題名で、領域代表として研究を進めているところです。また、以前の研究成果として、日本科学未来館の「フカシギの数え方[(1)]」という、「おねえさん」が数え上げをする「YouTube[(2)]」の動画がありますが、これはスーパーコンピューターでも25万年かかるような計算が、最先端のアルゴリズム技術を使うと数秒で解けてしまうという話で、いまでも全国の多くの学校で授業に利用されています。

　本章では、「なぜChatGPTは計算が苦手なのか」という切り口から、言語生成AIの限界についてお話しします。本書の第1章「大規模言語モデルを研究する基盤──LLM-jp」（黒橋禎夫）で、最新のChatGPTの拡張機能を使うと乗算もうまくいくという話がありましたが、まずは拡張機能なしのChatGPT本体では何が起こっているのか、ということからご紹介していきます。

1 ── 算数が苦手なChatGPT

　まず3桁×3桁の乗算をChatGPTに解かせてみましょう。例えば、「914×914を計算してください」とChatGPTに聞いてみると、「約834,596です」と答えが返ってきました（図1）。そもそも「約」が付いているのがよくわからないのですが、この答えは間違っています。そこで「本当ですか?」と聞くと、「申し訳ありません」と言って、「約」は消えましたが、やはりまた間違った答えを出してきます。もう1回「本当ですか?」と聞いて返ってきた答えもまだ間違っていて、4回目でやっと正しい答えが出ました。

　次に4桁×4桁の乗算の質問をすると（図2）、もう何回聞いても間違った答えしか出てきません。さらに困ったことに、間違っているけれど一見正しそうな答えを返してくるので、これが正しい計算結果だと思い込んで、そのままこの答えを使ってしまう恐れがあります。

　現在のChatGPTの乗算の正答能力を調べたところ、1桁の九九はまず100パーセント正解です。2桁×2桁もほぼ100パーセント正解します。ですが、3桁×3桁になると、ときどき不正解するようになり、1発目で正解を出すこともあるし、2回目で正解を出すこともあるし、という感じになります。そして4桁×4桁になると、もうほとんど不正解です。ですが、ほぼ「正解っぽい」数値を答えるので、注意が必要です。日本語ではなく英語で質問してもほぼ同じ結果で、有料版の場合でも基本機能だけを使うのと同じぐらいの精度で、そんなに大きく改善しません。4桁×4桁の乗算は、人間でも紙と鉛筆だけでやろうとするとときどき間違えるので、AIでこのぐらいできれば十分すごいんじゃないかという気もします。私は、これはある意味ではYes、ある意味ではNoだと思っています。

　さて、乗算よりもっと簡単な問題を考えてみます（図3）。1のあとに0が29個並んでいる数字の列を示して、「0がいくつ並んでいますか」と聞くと、なぜか「27個です」と言ってきます。「本当ですか?」と聞くと、「30個です」とまた違うことを言います。3回目に聞くと、「29個です」と、やっと正しい答えが出ました。でももう1回、「本当ですか?」と聞くと、「28個です」とまた違うことを言うので、これはやはりわかっていないんじゃない

図1 ChatGPTに乗算をさせてみると

```
        9 1 4
×       9 1 4
      3 6 5 6
      9 1 4
  8 2 2 6
  8 3 5 3 9 6
```

真一　914×914を計算してください。

ChatGPT　914×914は、約834,596です。

> 不正解、「約」の使い方もおかしい

真一　本当ですか？

ChatGPT　申し訳ありません、計算が誤っていました。正しい答えは、834,196です。お詫びして訂正いたします。

> 「約」は消えたが、まだ不正解

真一　本当ですか？

ChatGPT　おっしゃる通り、前回の回答に誤りがありました。正しい答えは834,496です。お詫びして訂正いたします。

> まだ不正解

真一　本当ですか？

ChatGPT　申し訳ありません、再度計算した結果、正しい答えは834,496ではなく、835,396です。お手数をおかけしました。

> 4回目で正答！

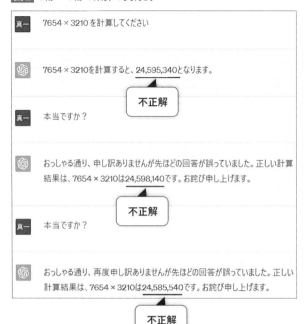

図2 4桁×4桁の乗算の実行例

真一　7654 × 3210 を計算してください

7654 × 3210を計算すると、24,595,340となります。
　　　　　　　　　不正解

真一　本当ですか？

おっしゃる通り、申し訳ありませんが先ほどの回答が誤っていました。正しい計算結果は、7654 × 3210は24,598,140です。お詫び申し上げます。
　　　　　　　　　不正解

真一　本当ですか？

おっしゃる通り、再度申し訳ありませんが先ほどの回答が誤っていました。正しい計算結果は、7654 × 3210は24,585,540です。お詫び申し上げます。
　　　　　　　　　不正解

```
      7654
 ×    3210
      7654
    15308
  22962
  24569340
```

か、ということになります。

　なぜこんなことが難しいのだろうかと不思議に思いませんか。ChatGPTは驚くほど滑らかに文章を自動生成できるのに、なぜこんなことで間違えるのかと。4桁×4桁の乗算は人間でも少し難しいかもしれませんが、0の個数を数えるだけのことが、なぜそんなに難しいのかと。そう考えてみると、ChatGPTにとっての計算の難しさというのは、人間にとっての難しさとは少し違うように思えてきます。そもそもChatGPTは、この10000……という並びを、数値だと思っているのか、文字列だと思っているのか、1つの単語だと思っているのか、というところから疑問に感じます。ChatGPTや生成AIの専門家ではない、アルゴリズム技術の研究者の私にとっても、このあたりは非常に興味深いので、少し調べてみることにしました。

図3 0の個数を数えさせてみると

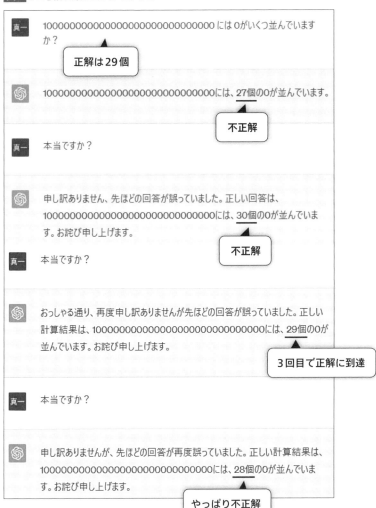

真一 10000000000000000000000000000000 には 0がいくつ並んでいますか？

正解は29個

10000000000000000000000000000000には、27個の0が並んでいます。

不正解

真一 本当ですか？

申し訳ありません、先ほどの回答が誤っていました。正しい回答は、10000000000000000000000000000000には、30個の0が並んでいます。お詫び申し上げます。

不正解

真一 本当ですか？

おっしゃる通り、再度申し訳ありませんが先ほどの回答が誤っていました。正しい計算結果は、10000000000000000000000000000000には、29個の0が並んでいます。お詫び申し上げます。

3回目で正解に到達

真一 本当ですか？

申し訳ありませんが、先ほどの回答が再度誤っていました。正しい計算結果は、10000000000000000000000000000000には、28個の0が並んでいます。お詫び申し上げます。

やっぱり不正解

図4 ChatGPTの基本構造

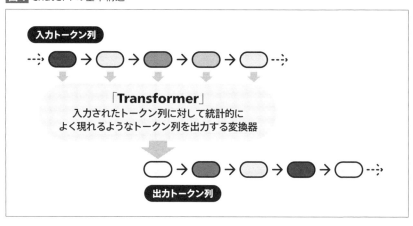

2 — ChatGPTの仕組み

　ChatGPTの基本構造（図4）を簡単に説明します。ChatGPTでは、入出力テキストは「トークン」という単語のようなものの列として扱われていて、ChatGPTはテキストが入力されると、それに対して統計的によく現れるようなトークン列を出力するTransformerという変換機をもっています。Transformerは膨大な量の文書データを使って訓練され、いろいろなパラメーターが設定されているほか、倫理的に望ましくない出力を防ぐために人の手で一部改造されています。ChatGPTの大雑把な仕組みはこのようになっています。

　冒頭で紹介した学術変革領域のプロジェクトでは、京都大学の学生を研究補助員として雇用して、最新文献をサーベイしてもらっています。2023年はじめにChatGPTが話題になったので、学生が初期のGPTから最近のGPT-4までに関係する15件の文献を読んで、まとめて報告してくれました。それを聞いていて個人的に面白いと思ったのは、GPTのトークン生成法についてです。「GPTファミリーは基本的にこのトークン生成法にもとづいている」ということが、ChatGPT開発者が公表している文献(3)のなかに書いてあります。

　理想的には、自然言語で用いられるすべての単語を辞書に登録して、それを使って単語レベルで言語モデルを学習するほうが、文字レベルだけで言語モデルを作るよりも精度がよくなるはずなのですが、単語を全部トークンにしようとすると種類が多くなりすぎて、現在のコンピューターの計算能力では学習がうまくいかないようです。そこで、GPTでは単語レベルと文字レベルの中間的な方法としてByte Pair Encoding法（以下、BPE法と略記）を用いています。コンピューターの基本的な1文字は1バイト（256通り）あるのですが、まず、この256種類の1文字をすべてトークンとしてIDを振ります。次に、そのトークンのなかから2つを選んで並べたペアのうち、出現率が最大になるようなペアを新しいトークンとしてIDを付けて、これをまたトークンの集合に加えます。このように、出現率最大のトークンのペアを新たなトークンに加える作業を、トークンの種類数が上限に達するまで単純に繰り返していく、というのがBPE法です。GPTでは純粋なBPE法だけではなくて、空白や特殊記号を特別扱いするなど、若干の改良を加えているようです。GPTでのトークンの種類数の上限は、だいたい3万から6万程度、1トークンの文字列長は、だいたい2から4程度になっているようです。英文の場合は、すごくよく出てくる単語はだいたいこのトークン集合に含まれるようになっています。

　なぜこれを面白いと思ったかというと、実は、私は高校生のころにコンパイラ（プログラミング言語を機械語に自動翻訳するプログラム）を自分で作ろうとして、テキストの文字を解析する字句解析と、単語を解析する構文解析をごっちゃにしてうまく作れず挫折したという経験があったからです。その後、大学に入って形式言語理論を学んで、字句解析と構文解析を分けておこなうと簡潔に書けることを知って、なるほどそうなのかと思いました。それ以降、ずっとそういうものだと思っていたのですが、いまになってGPTでは適当に字句解析と構文解析を混ぜたようなこんな単純な方法でうまくいっていることにびっくりして、目から鱗が落ちたわけです。

　OpenAIが公開しているTokenizerというツールがあります（図5）。これは入力テキストに対して、それがどう区切られているか、トークンに分割されているかを見せてくれるものです。実は、ChatGPTに「あなたはどうやってトークンを区切っていますか？」という質問をすると、いろいろもっともらしいことを言うのですが、かなり嘘が交じった答えを返してきます。その

図5 OpenAI が提供している Tokenizer の実行例

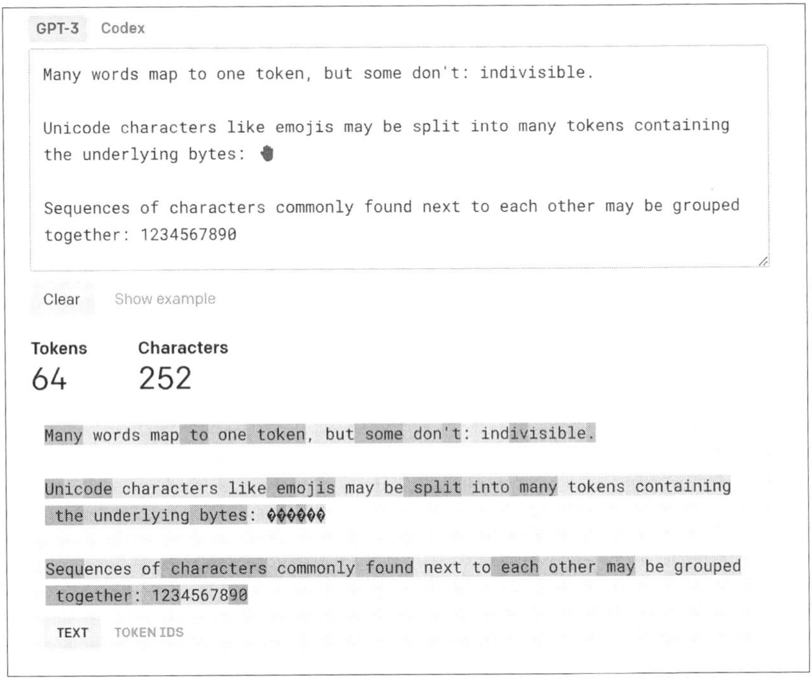

（出典：「Tokenizer」「OpenAI」〔https://platform.openai.com/tokenizer〕〔2024年1月9日アクセス〕）

ため、ChatGPT に ChatGPT の中身について聞いてもその答えを信用しては
いけないのですが、この Tokenizer は OpenAI が ChatGPT とは別に公開して
いるプログラムで、これは ChatGPT の課金にも関係する情報なので正しい
答えを返していると思います。実際に図5の例のようなデータを入れると、
英文の場合はきれいに分かれていますが、一部の長い単語は途中でいくつか
に分割されています。

　そこで、先ほどの質問のように0をたくさん並べたらどうなるか試してみ
ると（図6）、16個で1回切られて、8個で1回切られて、6個で切られて、3
個で切られてというように、どのようにトークン化されているのかがわかり
ます。0ではなくて2を並べると2個ずつで切られていたり、4を並べても2
個ずつで切られたりするのですが、1111……とか3333……とか6666……と

図6 数列のトークン化の例

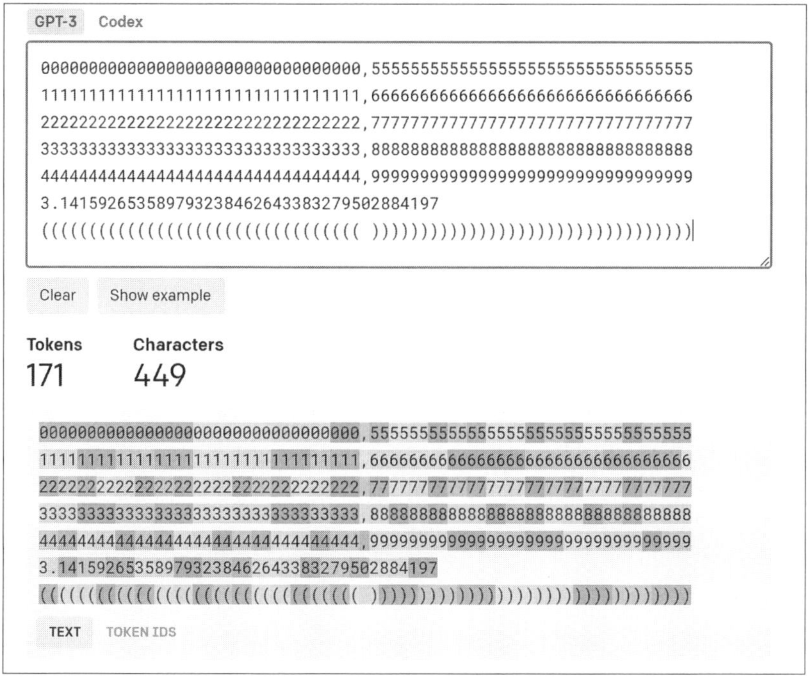

か9999……という、循環小数で出てくるような数字は並んで出てくる可能
性が高いので、より長い文字列で切られています。0がいちばん続けて出て
くることが多いので、16文字まで1トークンになっているということです
ね。

　その下の例で、円周率3.1415……を入れた場合を見てみると、2桁とか3
桁とかいろいろなところで不規則に切られています。面白いのは、カッコ開
きとカッコ閉じを並べてみた例で、カッコ開きは2個区切りですが、カッコ
閉じは4個区切りでトークン化されています。数式ではカッコ開きよりもカ
ッコ閉じのほうが連続してよく出てくるという理由から、こうなっているの
だろうと思われます。

　次に、各トークンのID番号を表示させてみると（図7）、実際には内部で

図7 トークンのID番号を表示させた例

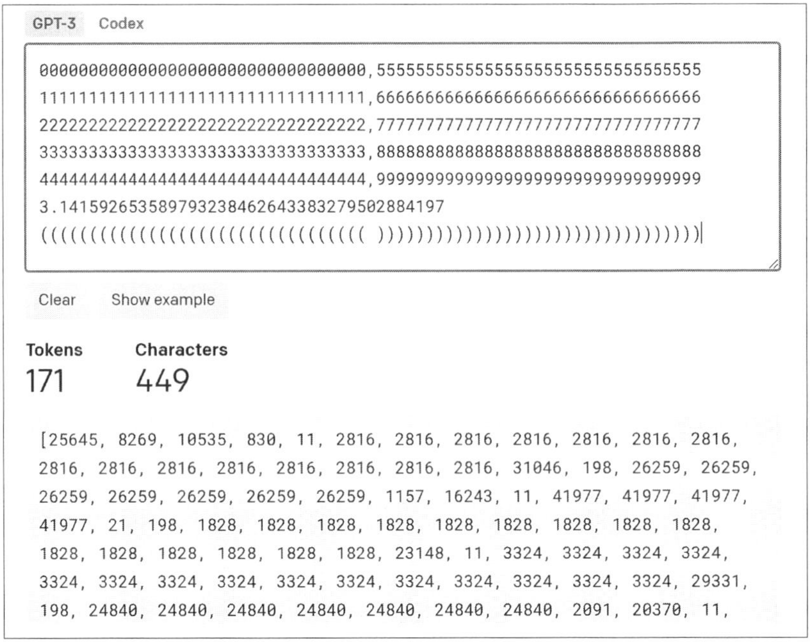

図7 トークンのID番号を表示させた例

GPT-3　Codex

```
00000000000000000000000000000000000,5555555555555555555555555555555
1111111111111111111111111111111,6666666666666666666666666666666666
2222222222222222222222222222222,7777777777777777777777777777777
33333333333333333333333333333333,888888888888888888888888888888888
4444444444444444444444444444444,999999999999999999999999999999999
3.1415926535897932384626433832795028841971
(((((((((((((((((((((((((((((((( )))))))))))))))))))))))))))))))))|
```

Clear　Show example

Tokens　　**Characters**
171　　　　449

```
[25645, 8269, 10535, 830, 11, 2816, 2816, 2816, 2816, 2816, 2816, 2816,
2816, 2816, 2816, 2816, 2816, 2816, 2816, 2816, 31046, 198, 26259, 26259,
26259, 26259, 26259, 26259, 26259, 1157, 16243, 11, 41977, 41977, 41977,
41977, 21, 198, 1828, 1828, 1828, 1828, 1828, 1828, 1828, 1828, 1828,
1828, 1828, 1828, 1828, 1828, 1828, 23148, 11, 3324, 3324, 3324, 3324,
3324, 3324, 3324, 3324, 3324, 3324, 3324, 3324, 3324, 3324, 3324, 29331,
198, 24840, 24840, 24840, 24840, 24840, 24840, 24840, 2091, 20370, 11,
```

図8 日本語をトークン化した例

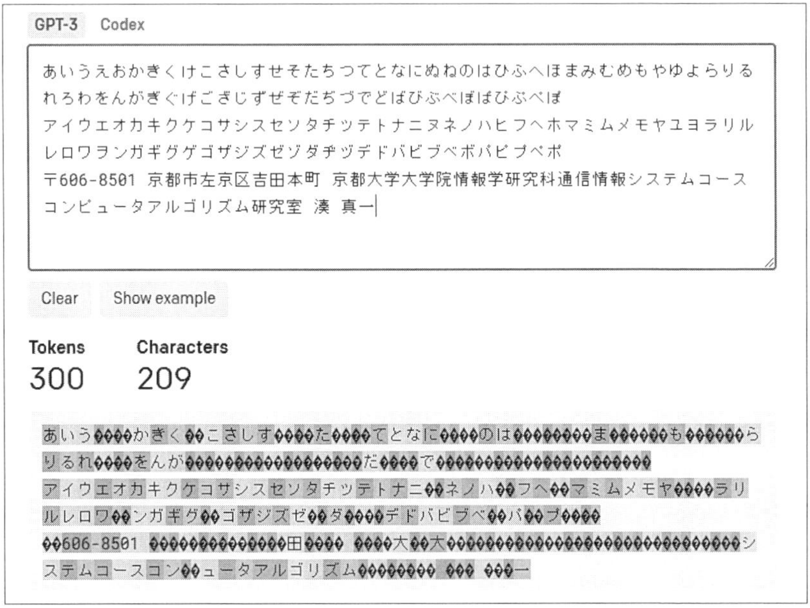

GPT-3　Codex

```
あいうえおかきくけこさしすせそたちつてとなにぬねのはひふへほまみむめもやゆよらりる
れろわをんがぎぐげござじずぜぞだぢづでどばびぶべぼぱぴぷぺぽ
アイウエオカキクケコサシスセソタチツテトナニヌネノハヒフヘホマミムメモヤユヨラリル
レロワヲンガギグゲゴザジズゼゾダヂヅデドバビブベボパピプペポ
〒606-8501 京都市左京区吉田本町 京都大学大学院情報学研究科通信情報システムコース
コンピュータアルゴリズム研究室 湊 真一|
```

Clear　Show example

Tokens　　**Characters**
300　　　　209

```
あいう◆◆◆◆かきく◆◆こさしす◆◆◆◆た◆◆◆◆てとなに◆◆◆◆のは◆◆◆◆◆◆◆ま◆◆◆◆◆◆も◆◆◆◆◆◆ら
りるれ◆◆◆◆をんが◆◆◆◆◆◆◆◆◆◆◆◆◆◆◆だ◆◆◆◆で◆◆◆◆◆◆◆◆◆◆◆◆◆◆◆◆◆◆
アイウエオカキクケコサシスセソタチツテトナニ◆◆ネノハ◆◆フへ◆◆マミムメモヤ◆◆◆ラリ
ルレロワ◆◆ンガギグ◆◆ゴザジズゼ◆◆ダ◆◆◆◆デドバビブベ◆◆パ◆◆プ◆◆◆◆
◆◆606-8501 ◆◆◆◆◆◆◆◆◆◆◆◆◆田◆◆◆◆ ◆◆◆大◆◆大◆◆◆◆◆◆◆◆◆◆◆◆◆◆◆◆◆◆◆◆◆◆◆◆◆シ
ステムコースコン◆◆ュータアルゴリズム◆◆◆◆◆◆◆ ◆◆◆ ◆◆◆一
```

はこういうID番号になっていて、カンマ（,）などはよく現れるので11という若い番号が付いている一方、0が16個続くような数列は出現確率が低いので、25645という大きな番号が付いている、というようになっていることがわかります。

次に、日本語を入れてみます（図8）。このように平仮名を全部入れてみると、平仮名1文字でさえ全部は登録されていなくて、多くはバイト単位の文字コードになってしまっています。カタカナはよく出てくるので1文字2文字単位でもトークンになっていますが、漢字になるともうほとんどありません。

3 ── 組合せ爆発という壁

先ほどの計算問題の質問文をトークン化すると（図9）、例えば「7,654 × 3,210を計算してください」という質問文は765と4、32と10で切られていて、もとの数字とは関係なく、適当に切られていることがわかります。また、「「わたしまけましたわ」は回文ですか」と聞くと、そもそもトークン列で見ると回文になっていなかったりします。

乗算の場合、このように不規則に区切られたトークンを入れて、これがちょうど乗算の答えになるように、トークン列を生成するように変換器を訓練しなければいけないということです（図10）。これは大変だろうと想像できます。桁数がそれほど大きくなければできるでしょうが、桁数が4桁、8桁とどんどん増えてくると、組合せ爆発を起こして、冒頭で紹介した「フカシギの数え方」の「おねえさん」の動画のように、スーパーコンピューターでも25万年かかるというような話になってしまうかもしれないわけです。

では、AIは小学生のかけ算の手順を学習できないのでしょうか。人間の小学3年生は学校で勉強すれば筆算ができるようになります。小学生は実例をいくつか見せられて、こうするんだよと言われて、ああそういうことか、と理解してできるようになります。べつに疑似コードを小学3年生が教えられているわけではありません。だから原理的にはAIでもかけ算の仕方を学習できると思うのですが、それを学習し、実例を見て理解するためには、まず「0とは何か」を知っていなければならず、10進法が何かをわかっていな

図9 計算問題の質問文をトークン化した例

GPT-3 | Codex

```
7654 × 3210 を計算してください。
10000000000000000000000000000 には0がいくつ並んでいますか?
「わたしまけましたわ」は回文ですか?
```

Clear   Show example

Tokens   **Characters**
71   **88**

```
7654 × 3210 ◆◆◆◆◆◆◆◆してください。
10000000000000000000000000000 ◆◆は0がいく◆◆◆◆んでいますか◆◆◆
「◆◆たしま◆◆ました◆◆」は◆◆◆◆ですか◆◆◆
```

TEXT   TOKEN IDS

図10 4桁×4桁の乗算の質問文と回答文のトークン列の例

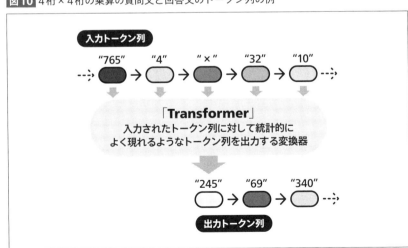

けраばならず、たぶんたし算がわかっていなければならず、1桁の九九がわかっていなければなりません。こういった積み上げが必要になるので、なかなか大変でしょうし、積み上げをせずにただフラットに学習しようとすると、ものすごく時間がかかるだろうと思います。算術は、手順を踏むことで高速に学習できるようになるものなのでしょう。現代人は教科書というものを使って、人類が何千年もかかって発見した方法を、高速で、10年や15年で学習しているというわけです。一方、自然言語（母国語）は、幼児期に大量の言葉を浴びるだけで自然に習得している。べつに積み上げ型で母国語を習得しているわけではないので、そこは少し違うのかなと思います。

　ところで、本章の冒頭でもふれましたが、実は最近のChatGPT有料版では、ベータ版の拡張機能を使うことができて、「Advanced Data Analysis」（図11）という機能をオンにすると、乗算も非常によくできます。これは質問文に対して、適切なPythonコードを自動生成し、それをサーバー内部で実行して結果を出力するというもので、百発百中でPythonの計算ライブラリを呼び出してくるので、何十桁のかけ算でも正確に計算できます。これはかなり便利で、実用的にはこれで十分に思えます。0の個数もPythonコードを生成すれば正確に数えられます。「プログラムを作って実行してください」と指示しないと、プログラムを作らずにいままでどおりの間違った答えを出すのですが、プログラムを作るよう指示をすれば、作ってきちっと正しい答えを出してきます。

　ただし、注意点もあります。この拡張機能は質問文に対して最も正しそうなPythonコードを生成するように訓練されていて、そのコードをサーバー内部で実行して出力できるのですが、基本機能では生成したプログラムを実行することは許されていないのです。セキュリティー的に何が起こるかわからず、暴走するかもしれないので、安全のために禁止されているのだと思います。Advanced Data Analysisの機能をオンにすると、外部から隔離されたメモリー空間を用意して、その内部だけで実行します。外とはやりとりしないようなライブラリだけを使うことで制限されているので、暴走することはありません。

　この拡張機能は結局のところ、言語生成AIが乗算の計算手順を学習したわけではなく、「最も出現確率が高いPythonコードを生成して実行できるようになった」ということなので、小学生に例えると、筆算の手順を学んだの

図11 拡張機能「Advanced Data Analysis」の使用例

真一　10000000000000000000000000000000 には0がいくつ並んでいるかを数えるプログラムを作ってください。

Finished working　　Hide work ∧

```python
# The number provided by the user is 100 followed by 30
# We'll count the number of zeros in it.

number = 10000000000000000000000000000000
zeros_count = str(number).count('0')
zeros_count
```

RESULT
29

10000000000000000000000000000000 には、29個の0が並んでいます。

真一　7654 × 3210 を計算してください

Finished working　　Hide work ∧

```python
# Calculating the product of the two numbers
result = 7654 * 3210
result
```

RESULT
24569340

7654×3210 の結果は $24,569,340$ です。

ではなく、電卓を使えるようになったことを意味します。エンジニアリングとしてはかなり良い妥協点で、実用的で良いと私は思います。ただ、結局生成したコードが正しいかどうかは、ユーザーである人間の判断に任されています。

例えば、「このコードが正しいかどうか」は、わかる人が見ればわかります。いままではブラックボックスのなかでどうやって数えているのかわからなかったものが、見る人が見れば何をやっているのかわかるので、ホワイトボックス化されたという意味では良いかもしれません。しかし、コードが読めない人には何がおこなわれているのかわかりませんし、もっと複雑なコードになればコードを読める人でも理解が難しくなっていくので、正しいかどうかをチェックするのは難しいかもしれません。そうなると、例題データをたくさん入れて検算してみて正しそうなら信用するなど、使い方を工夫する必要があると思います。

4 ── 計算手順を理解することの難しさ

最後に、計算手順を理解するとはどういうことなのかについて述べます（図12）。これは、Carry Look-Ahead Adder という、2進数の加算器の論理回路を生成させた例です。これは、Verilog HDL というハードウエア記述言語ですが、ソフトウエアのプログラムと似たようなものです。この回答例は、加算器としては文法的には正しい記述なので、授業レポートとして学生から提出されたら、自力で書いたのか、自動的に書かせたのか、判別するのは難しいです。

ですが、よく見るとこれは、Carry Look-Ahead（桁上げ先見）型回路ではなくて、Ripple Carry（逐次桁上げ）の加算器の回路になっています。ところが、モジュール名は、Carry Look-Ahead という名前になっている。そのため、間違った回路を、名前だけ合わせて出してきているということが、よく見るとわかるのです。

少し専門的ですが、Ripple Carry Adder は、桁上げを順番に伝えて計算する回路です。Carry Look-Ahead Adder は、桁上げが連続して起こるかどうかを先に判断して、先回りして高速に計算する回路です。例えば、2進数で

図12 2進数の加算器（Carry Look-Ahead Adder）の論理回路を生成させた例

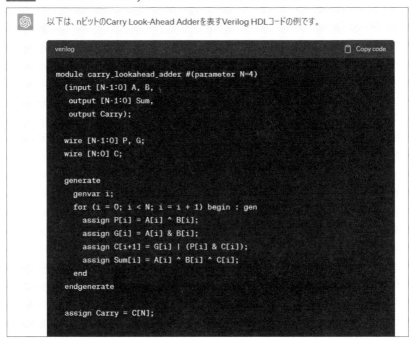

以下は、nビットのCarry Look-Ahead Adderを表すVerilog HDLコードの例です。

```verilog
module carry_lookahead_adder #(parameter N=4)
  (input [N-1:0] A, B,
   output [N-1:0] Sum,
   output Carry);

  wire [N-1:0] P, G;
  wire [N:0] C;

  generate
    genvar i;
    for (i = 0; i < N; i = i + 1) begin : gen
      assign P[i] = A[i] ^ B[i];
      assign G[i] = A[i] & B[i];
      assign C[i+1] = G[i] | (P[i] & C[i]);
      assign Sum[i] = A[i] ^ B[i] ^ C[i];
    end
  endgenerate

  assign Carry = C[N];
```

64ビットぐらいあると、桁上げがずっと進行していくと非常に時間がかかって、高速化するかどうかで5倍、10倍速さが違うのです。モジュール名がCarry Look-Ahead Adderになっていて、内部が逐次桁上げというのは二重の意味で悪質です。両者は論理関数としては等価なので、ゆっくり計算したら正しいわけです。ですが、高速に計算すると間違った答えになってしまうことになります。これを例えば飛行機の着陸とか、ロケットの打ち上げとか、そういうところで使うと何が起こるかわからないのですが、モジュール名がCarry Look-Ahead Adderと書いてあると、名前で信じてしまって、内部の正しさを調べない恐れがあります。例えば、業者に発注して適当に生成AIで合成してこれを納品されると、本当になかをチェックするのだろうかと心配になってきます。

「部品」に名前を付けるのは、人類が複雑なシステムを正しく作るために築

いてきた作法ですが、ChatGPT の基本構造だと、名前で部品を指定して組み合わせて、大規模なシステムを正しく構築できるようにするのはそれほど簡単ではありません。訓練に要する計算量が組合せ爆発を起こしてしまうので、短い定型的なプログラムだったら問題ありませんが、複雑なシステムになるとちょっと厳しいでしょう。同じように「文献」に ID を付けるというのも、ChatGPT にとってはなかなか難しいです。文献単位でトークンが付けられていないため、関連する論文の部分的なトークンが交ざりあって、ありそうで実在しない著者名やタイトルが生成されてしまうことがよくあります。文献データベースを検索して併用する生成 AI が最近開発されていて、性能がだんだんよくなってきていますが、一方で適切な文献を選び出すのが難しいというのは以前と変わっていないため、今後の課題と言えます。

　専門知識がない人が ChatGPT を使っても問題なさそうな例もいろいろあると思います。例えば、マウスでクリックするためのボタンを画面に表示するなど、そういった定型的なプログラムを自動生成させる場合、独自に工夫する必要はなく、下手に工夫するとかえって使いにくいものになってしまうので、普通にありそうなものを作ったほうがいいでしょう。これは計算の本質的な部分ではないのですが、ソフトウエアの作成労力の大半を占める場合があるので、そういうところには効果が大きいと思います。英文のスペルチェックや文法チェック、漢字の使い方チェック、なめらかな定型文の生成、TPO に合わせた敬語の使用など、正しさが厳密に定義されているものではなく、世の中の大多数の好みに合わせるような応用では非常に有効だと思います。

おわりに

　まとめると、ChatGPT は、「読み・書き・そろばん」と言われる機能のうち、「読み・書き」だけを徹底的に訓練した AI と言えます。一方、「そろばん」の能力を大量データによる学習だけで習得するのは、原理的に難しいでしょう。実用的観点からは、先ほど述べたように、ChatGPT から従来のソフトウエアを呼び出せば正確に計算できるということで、面白い話だとは思います。しかし、やはりそれが正しいかどうかは保証されていないので、使

いこなすにはそれなりの専門知識が必要でしょう。

シンポジウム後の展開

　本章は2023年9月14日の講演をベースに、当時のChatGPTの動作について解説したものです。ChatGPTをはじめとする生成AIの開発はきわめて急速に進んでいるので、半年後には、同じ質問をしても当時と異なる回答を返すようになっている可能性があります。例えば24年春の時点でも、ChatGPTの有料版は、人間が作ったPythonプログラムのデータベースをもっていて、最も正しそうなプログラムを自動的に呼び出す機能が追加されています。ただし、本当に正しいプログラムを呼び出したかどうかはユーザーの判断に任されています。ChatGPTの基本構造が内包している組合せ爆発の問題（＝計算量の壁）は、短期間では解消しないと思われるので、大きな潮流は変わっていないのではないかと予想しています。

注

（1）　湊真一ほか「社会変革の源泉となる革新的アルゴリズム基盤の創出と体系化」領域番号20A402、科学研究費・学術変革領域研究（A）、2020-25年（https://www.afsa.jp/）［2024年1月9日アクセス］

（2）　「『フカシギの数え方』おねえさんといっしょ！みんなで数えてみよう！」「YouTube」（http://www.youtube.com/watch?v=Q4gTV4r0zRs）［2024年1月9日アクセス］

（3）　Alec Radford, Jeffrey Wu, Rewon Child, David Luan, Dario Amodei and Ilya Sutskever, *Language models are unsupervised multitask learners*, OpenAI blog, 2019. （https://insightcivic.s3.us-east-1.amazonaws.com/language-models.pdf）［2024年1月9日アクセス］

第5章

画像生成AIと
その利活用

相澤清晴

はじめに

　読者のみなさんのなかに、画像生成AIを一度でも使ったことがある人はどのくらいいるでしょうか。少し前までは、ChatGPTは使ったことがあるものの、画像生成AIは使ったことがないという人が大半でしたが、画像生成AIも広く使われるツールになりつつあるようです。

　本章では画像生成AIについて解説します。画像の話は、本書でここまで取り上げてきた言語系の話とはかなり雰囲気が違っています。ある意味、画像はいい意味でいい加減なところがかなりあり、ハルシネーションが出ても逆に楽しめたりと、エンターテインメントの要素が多くあると思います。

　私は画像生成AIのヘビーユーザーというわけではありません。本章では画像生成AIについての一般的な解説をします。実際の利活用の具体例については、第6章「生成AIとマンガ制作——制作における生成AIのリアル：2023年夏」（小沢高広）、第7章「画像生成AIを用いたブランドの創出」（黒越誠治）で取り上げています。

　なお、画像生成AIの分野でもその技術の展開はきわめて速く、シンポジウムが開催された2023年9月から半年の間に大きく進展しています。例えば、23年10月にOpenAIのGPT-4のサービスで画像生成の提供が始まりました。さらに、24年2月には、OpenAIから、1秒の長さのビデオをテキストから生成するSoraという技術の発表もありました。ビデオ生成はまだ一般サービスの提供には至っていませんが、生成技術の展開の速さを象徴する

発表でもありました。本章の内容は、23年9月時点の技術をベースにしていることをご了解ください。

1 ── テキストからの画像生成例

テキストからの画像生成は、技術は大きく異なるものの、大規模言語モデル（Large Language Model。以下、LLMと略記）とほぼ同時期に大きく世の中へと出てきました。

図1は、Open AIのDALL・E-2という画像生成AIツールから「馬に乗る宇宙飛行士」のテキストに応じて生成されたサンプルです。このように、言語で内容を記述すると、それに対応する画像を作る優れたツールになっています。

さらに、そのあとに現れたClipdrop[1]というStability AIの画像生成ツールがあります。ウェブサイトにアクセスし、ウインドーに適当なプロンプトを英語で入れると、ほどなく画像が生成されます。そのクオリティーを自分でも試してみてください。

2 ── 画像生成AIの技術発展の方向

画像生成AIの技術は、この1年間で大きく進歩しました。さらに後述するように、画像生成AIは簡単に操作できるだけでなく、技術の内部に立ち入って工夫できる状況になっています。そのために、世界中の研究者や開発者が、画像生成AIの技術にふれて膨大な数の論文を発表しています。

この画像生成AIの技術の展開には、大きく3つの方向があります。1つはクリエイティブな画像の多様化につながるようなコンテンツ制作への応用の方向。そして、編集や加工のために画像生成の詳細な制御をおこなう技術開発の方向。さらに、画質を向上させる技術開発の方向です。これらの要素技術が開発されることで、画像生成AIの技術は、その機能を増やし、発展しています。

図1 「馬に乗る宇宙飛行士」生成画像

（出典：「DALL・E-2」「OpenAI」〔https://open ai.com/dall-e-2〕〔2024年1月9日アクセス〕）

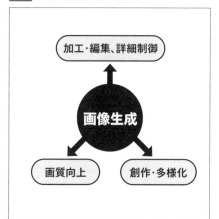

図2 画像生成AIの技術展開

3 ── 一般 vs プロフェッショナル

　元来、画像制作に関して、クリエイターやプロフェッショナルと一般の人の技量の差はきわめて大きいと思います。仮にクリエイターやプロと一般の人との技量の差を創作と編集・加工という二軸で表すと、図3のように歴然とした差があります。

　ところが、生成AIが現れたことで、一般の人でも従来のペンを動かす作画とはまったく違うプロセスを通して画像を生成できるようになり、結果として一般の人の作る画像の質が著しく上がりました。同時に、クリエイターやプロの人たちにとっても、生成画像にさらに手を加えることができるので、その技量の向上に寄与していると思います。

4 ── 画像生成AIの爆発的成長

　この画像生成AI自体は、2022年から出てきたものです。その技術的な基

第5章　画像生成AIとその利活用

79

図3 クリエイターやプロと一般の人の技量の差

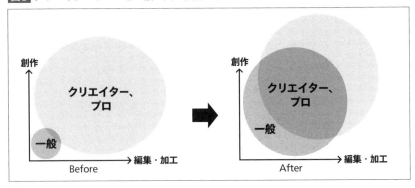

盤としては、言語と画像を結び付けるモデル、すなわち画像にセマンティクスを与えるモデルが実用化されてきたということと、拡散モデルという新しい画像生成手法ができたことが挙げられます。そのことについて簡単に紹介します。

言語系生成AI
・ChatGPT 、GPT-4 、Bard
・2022年から爆発
・大規模言語モデル（LLM）

画像系生成AI
・DALL·E-2、Imagen、Stable Diffusion（ex. DreamStudio）、Adobe Firefly など
・2022年から爆発
・Vision-Language モデル（VLモデル）
・拡散モデル

画像系生成AI技術が爆発的に伸びてきた時期の主要な出来事を年表で示

します。拡散モデルと呼ばれる汎用的な画像生成技術にもとづいて、OpenAIのDALL・E-2が現れ、GoogleのImagenや、Midjourneyという商用システムが現れました。その後、現時点で最もインパクトが大きかったStable Diffusionが発表されました。Stable Diffusionはオープンソースであり、モデル、コードが公開されたため、誰でもそのモデルを操作してトレーニングできる技術基盤が提供されました。

モデルの規模は、あとで述べるように言語モデルよりもはるかに小さく（言語と比べて画像はなぜ小さいのか気になりはしますが）、世界中の研究者が扱いやすいものでもあります。

ゼロからのトレーニングだと、やはりかなりの時間がかかります。しかし、トレーニングずみのモデルがあり、そこから出発して何かを追加していくような場合には、この公開されているモデル、ソースコードがきわめて強い基盤になります。

その後、AdobeからFireflyという、著作権の問題がクリアされている画像データを使ってトレーニングされたものがリリースされました。最近ではStable DiffusionのXLという、より多くのデータでトレーニングされ、画像生成の品質が一段と上がったものがリリースされていて、Stable Diffusionが公開された2022年8月以降、研究開発が加速度的に広がって数多くのシステムが派生しています。

拡散モデル（DDPM）2020年　＝汎用な画像生成へ＝

- 2022年4月　DALL・E-2（Open AI）
- 2022年5月　Imagen（Google）
- 2022年7月　Midjourney（Midjourney）
- 2022年8月　Stable Diffusion（Stability AI）
　　　　　　オープンソース、モデル公開
- 2023年3月　Adobe Firefly公開
　　　　　　著作権問題のクリア
- 2023年7月　Stable Diffusion XL

Stable Diffusionの公開以降、研究開発が広がり、加速した。その後、数多のシステムが派生しつづけている。

5 ── テキストからの画像生成の2つのブレークスルー

　テキストからの画像生成の技術的ブレークスルーは、画像と言語のセマンティクスをつなぐ画像言語モデル（Vision Language Model。以下、VLモデルと略記）と、デノイジング拡散モデルと言われる新しい生成手法です。拡散モデルは、品質がよく安定して学習できて、様々な条件づけがしやすい優れた手法です。

2つの技術的ブレークスルー
- Vision-Language Model（VLモデル）
　CLIPなどの言語と画像のセマンティクスをつなげるモデルが実用的なレベルに到達した。モデルは公開されて、広く利用可能になっている。
- 拡散モデルによる画像生成
　デノイジング拡散モデルによる画像生成手法の誕生。安定して学習でき、品質がよく、条件づけしやすい画像生成が可能になった。コード、モデルが公開され、開発が加速度的に進んでいる。

6 ── CLIP ── VLモデル（OpenAI）

　まず、画像と言語の対応づけについて解説します。使われたデータの例を図4に示しました。言語といっても、ほんの数十ワード程度のキャプションテキストがついているだけです。例としては「コーヒーがソーサーの上に乗っている」という短いキャプションがついた画像と、そのキャプションテキストのペアをデータとして用います。その画像−言語のペアのデータが膨大にあり（4億枚）、それを用いてテキストエンコーダーとイメージエンコーダーを学習します。学習では、画像とキャプションテキストのペアをばらばら

に分けて与えて、本来のペアに近づくように学習をおこないます。その結果、画像と言語の特徴量が近づいていくわけで、画像特徴にテキストのセマンティクスをもたせることができます。

図4 画像と言語の対応づけ

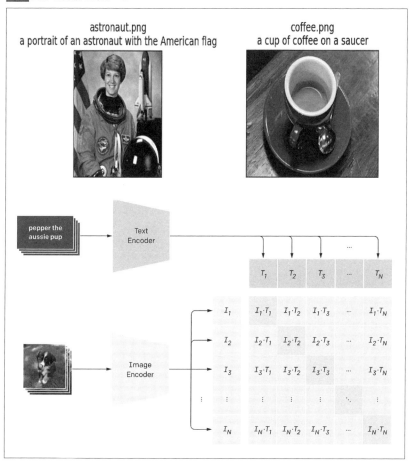

（出典：「Interacting with CLIP.ipynb」「GitHub」〔https://colab.research.google.com/github/mlfoundations/open_clip/blob/master/docs/Interacting_with_open_clip.ipynb〕〔2024年1月9日アクセス〕、「CLIP: Connecting text and images」「OpenAI」〔https://openai.com/research/clip〕〔2024年1月9日アクセス〕）

7 ── 画像－言語ペアの大規模データセット

　画像とキャプションテキストの言語を対にしたデータセットの規模についてみてみましょう。現在公開されているものでいちばん大きいのは、60億枚近いテキストと画像の対があるデータです。これはLAIONというNPOがまとめて公開しているものです。60億枚というと膨大で、仮に1人で2つのペアが正しいかどうかチェックしていき、1秒に1枚、24時間寝る間もなくチェックしたとしても、200年くらいかかるという量です。現実的には人の手ですべてを細かくチェックするのは無理でしょう。それらはインターネットから収集したデータであり、研究利用のために公開されています。なお、データを検索するツールも与えられているので、中身を部分的に検証することはできます。それでサーチしてみると、このなかには権利問題が怪しいものも多数含まれていて、例えばミッキーマウスもたくさん出てきてしまいます。

画像－言語ペアの大規模データセット
- データ量が莫大。CLIP、画像生成の学習に使われる。
- OpenAIは、データを公開していない。
  （出典：「LAION（Large-scale Artificial Intelligence Open Network）」
  ［https://laion.ai/］［2024年1月9日アクセス］）

画像－言語ペアのデータセット、モデル（OpenCLIP）などの公開。

LAION-400M（4億）　OpenAIの4億対のデータセットに相当。

LAION-5B（58億5,000万）多言語

23億英語、23億の多言語（100+）、13億その他

うち、日本語は1億3,000万。

インターネットからの収集データであり、研究利用のための公開。データのサーチはでき、権利問題が怪しいものも含まれる。

図5 拡散モデルによる画像の生成

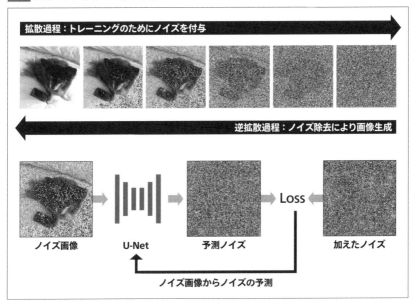

図6 Diffusion Model と Stable Diffusion Model

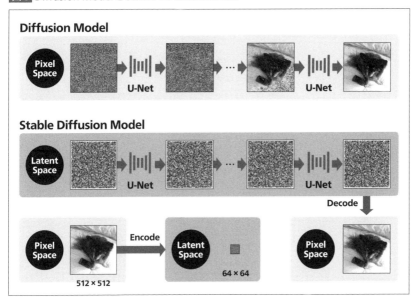

図7 テキストでの条件づけによる生成

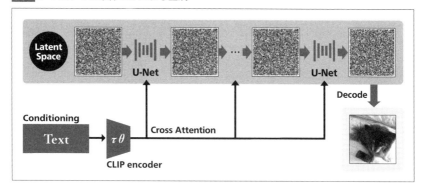

8 — 拡散モデル（Diffusion Model）

　もう一方のブレイクスルーの拡散モデル（正しくはデノイジング拡散モデル）による画像生成では、ノイズと画像の関係を学習させ、最終的にノイズを与えることで画像を生成します。拡散モデルは2つの過程で成り立っています。1つは拡散過程と呼ばれるノイズを付与していく過程で、これがトレーニングのために使われます。他方、逆拡散過程はノイズを除去していく過程で、ノイズとして与えられる初期画像から画像を徐々に生成していくという復元を扱うものです。この復元は、信号処理的なアプローチであり、最小平均2乗誤差推定（MMSE）でおこなう予測の範疇で、その復元問題を大規模なニューラルネットワーク（U-Net）で解くものです。拡散過程でノイズと画像の関係がわかっているので、予測したノイズと加えたノイズの差異から、ニューラルネットワークをトレーニングします。解がある問題を解いているので、ニューラルネットワークが安定して学習してくれます。

　Stable Diffusionとそれまでの拡散モデルとの違いは、画像をそのまま扱うのではなくて、一度latent space、すなわち特徴空間に画像を小さく縮めることにあります。もともとのデータのまま扱わずにコンパクトなデータにして、そのコンパクトなデータ上で逆拡散過程の学習をするため、全体としての規模も小さくなります。小さく縮めても、特徴が画像のディテールを保持しているので、高品質な画像を生成することができます。

9 — テキストによる条件づけ

　テキストによる条件づけのためには、テキストを先ほどのCLIPエンコーダーに通して、そこで出てくるテキスト特徴を、画像生成をおこなうニューラルネットワークのなかに入れ、もとの画像が生成できるように学習をします。そして、実際に使うときにはノイズの画像を与え、それに欲しい画像を示すテキストを与えます。テキストは、先ほどのVLモデルの言語エンコーダーで画像特徴と親和性が高い特徴量になり、テキストの特徴の方向に画像生成を引っ張っていくことで、テキストが意味している画像の生成をおこないます。

10 — 生成条件の広がり

　画像生成の条件づけは、非常に多様になりました。この1年ぐらいの間におこなわれてきたことをピックアップしてみると、おおよそできることはおこなわれたように思えます。

生成の制御条件の広がり

- text-image
- image-image
- style transfer
- inpainting, outpaint
- super-resolution
- image & text image
- image edit-by-text
- semantic map
- layout
- edge
- sketch
- line drawing
- human pose
- segmentation
- depth
- personalization
- initial noise image

図8 「コンピューターでメールを読んでいるウサギ（A bunny reading his email on a computer）」生成画像

（出典：「Clipdrop」by stability.ai）

図9 画像とテキストからの生成

"a photo of a pink toy horse on the beach"　　　　"a photo of robots dancing"

（出典：「Plug-and-Play Diffusion Features for Text-Driven Image-to-Image Translation」〔https://pnp-diffusion.github.io/〕〔2024年1月9日アクセス〕）

▶テキストからの画像生成

　まずは、ここまでに述べてきたテキストからの画像生成があります。例えば、先ほどのClipdropを例に挙げると、「コンピューターでメールを読んでいるウサギ」というプロンプトを入れると、図8のように多彩なバリエーションの絵を生成することができます。いかにも絵画調のものから実写風のものまで、十分に高いクオリティーの画像が生成されます。

▶画像とテキストからの画像生成

　さらに、画像とその改変を意図したテキストを入れることで、画像を参照したテキストからの合成が可能になっています。図9の左の例だと、もともとの画像は白い本物の馬ですが、それをピンクのおもちゃの馬にした画像を生成しています。また、右の例では、ダンスしている人の画像を入れて、ロ

図 10 セマンティックマップを利用した生成

（出典：「Latent Diffusion Models」「GitHub」〔https://github.com/CompVis/latent-diffusion〕〔2024年1月9日アクセス〕）

ボットがダンスしている画像になるようにテキストで変えています。このように、画像で条件づけたテキストからの画像生成ができます。ただし、この場合、生成される画像では、背景も大きく変化してしまっています。

▶セマンティックマップからの画像生成

　生成するシーンのセマンティックマップを利用した画像生成も可能です。図10の例では、景観のセマンティックマップ（山、空、湖などのシーンの領域分割情報）を利用することで、そのセマンティックマップの構図に沿った画像を生成できます。

▶レイアウトの指定

　レイアウト条件を指定することも可能です。図11のいちばん左の列で言えば、電車を写した一枚の画像のなかで電車や歩道がどのあたりの位置にあって、さらに空や木はどこにあって、とおおよそのレイアウトを入れることで、その条件に合うような画像が生成されます。

▶画像のテキストによる編集

　画像を部分的にテキストで改変することも生成によっておこなわれます。例えば、図12の左上の例は、鳥の元画像に対して、その鳥はほぼ同じまま、背景もほぼ同じままでその鳥の羽だけ広げるという高度な改変がおこなわれています。この改変のための入力はテキストプロンプトだけです。

▶エッジ、手書きスケッチ、線画、骨格を利用した画像生成の制御

　テキストからの画像生成にはControlNetという派生システムも生まれ、さらに柔軟な制御が実現しています。図13の例では「熱気球」というプロンプトに合わせて、ユーザーの手書きスケッチを入れると、その手書きスケッチを反映した画像が生成されています。
　ControlNetではさらに、線画を与えてそれに着色することも可能です。図14の上の例のように、女の子を描いた線画に対して、「とてもきれいなマスターピースです」というプロンプトを与えることで、その線画に対して自動で着色しています。人の手で着色すると大変な作業量ですが、それが労せずして何枚も生成できてしまいます。さらに、人の姿勢を指定した形式での

図 11 レイアウト条件での生成

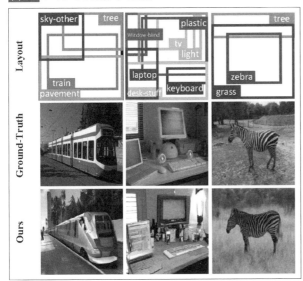

（出典：「Visualizations on COCO-stuff」「GitHub」〔https://github.com/ZGC Troy/LayoutDiffusion〕〔2024年1月9日アクセス〕）

図 12 画像のテキストでの修正

（出典：「Imagic: Text-Based Real Image Editing with Diffusion Models」「GitHub」〔https://imagic-editing. github.io/#〕〔2024年1月9日アクセス〕）

図 13 テキストと手書きスケッチでの条件づけ

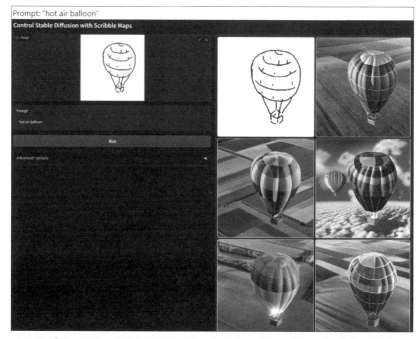

（出典：「lllyasviel/ControlNet」「GitHub」〔https://github.com/lllyasviel/ControlNet〕［2024年1月9日アクセス］）

画像生成も可能です。図14の下の例では、「キッチンのシェフ」のプロンプトで生成していますが、その際、姿勢に対応する骨格を例として指定し、同じような姿勢になるように合成したものです。

▶パーソナリゼーション

　LoRAというパーソナライズするための追加学習法もあり、少ないデータセットで望みどおりのスタイルの画像を生成してくれます。特殊なトークン（ここでは"style of <s1><s2>"）を与えておいて、それに対応するようなデータを数枚だけ与えます。例えば、図15は10枚だけアニメの画像をトークンに対応するように学習させたものです。たった30分の学習でした。馬に乗った宇宙飛行士の絵が出るはずのところ、追加学習したトークンを加えること

図 14 線画やポーズによる条件づけ

Cartoon line drawing　　　"1girl, masterpiece, best quality, ultra-detailed, illustration"

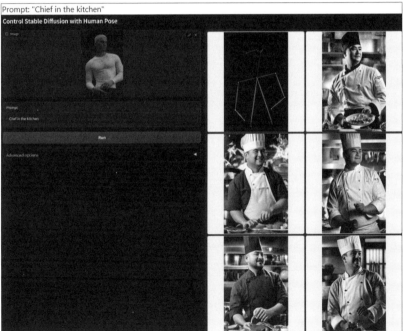

（出典：同ウェブサイト）

で、絵全体がアニメ調に変わりました。

11 — テキストからの画像生成のモデル規模

　モデルの規模はそれほど大きくありません。パラメーター数で言うと、もともとのStable DiffusionのU-Netは860Millionで、テキストエンコーダーは123Millionです。LLMに比べると桁違いに小さいことがわかります。最も大きなStable Diffusion XL（SDXL）でU-Netが2.6Billion、テキストエンコーダーが817Million程度です。

　なお、計算量に関しては小さなものではありません。U-Netは50回、100回と繰り返して予測します。そのため、U-Netが1枚の絵を生成するための計算量はパラメーター数の50倍、100倍という値になります。仮に100倍だったとすると、もともとのパラメーター数が1Billionであっても、計算量は50Billion相当という規模になります。

12 — 画像生成モデルの発展と生成モデルの影響

　画像生成から次のステップへの発展として盛んに試みられているのは、ビデオやアニメーション、3Dの生成、また、マルチモーダル化の方向でしょう。マルチモーダルに向けては、音やデプスなどの様々な情報と融合されていくものと思われます。

　生成AIは、絵や写真の創作プロセスを変革したツールです。これらには当然ポジティブな面とネガティブな面があります。

　ポジティブな面としては、画像生成AIによって高品質な画像を生成できること、質の高い編集加工ができること、バリエーションを無数に生成できることがあります。もともと制作の技術をもっていないユーザーでもかなり高いクオリティーの画像を作れます。プロやクリエイターであれば、さらに創意工夫を加えていい画像を作ることができるでしょう。

　ネガティブな面としては、フェイク画像の問題があり、これにはまだ十分なソリューションがありません。また、コンテンツの知的財産権の問題もあ

図 15 トークンの追加学習によってアニメ調になった画像

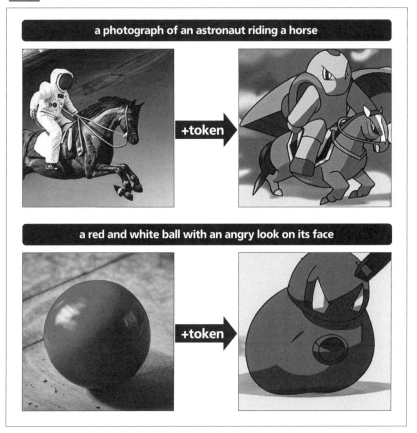

図 16 SDMのU-Netとテキストエンコーダーのパラメーター数
※1枚の画像生成にU-Netの計算は、多数回（50回など）繰り返す

	U-Net	Text Encoder		LLM	
Stable Diffusion 1.5	860M	123M		GPT-4	1,760B
Stable Diffusion 2.1	865M	354M		PaLM2	340B
Stable Diffusion XL	2.6B	817M		Chinchilla	70B
				StableLM	65B
				LlaMa-1	65B

（参考）大規模言語モデル

ります。すなわち、既存コンテンツに似たものも作ることができてしまうため、クリエイターの権利保護も大きな問題になります。その解決は、技術革新によるだけでは難しいように思えます。さらに、データのバイアスや、膨大なコンピューターリソースを必要とするということも課題でしょう。

まとめ

　ここまで、テキストからの画像生成の技術的な概要について、簡略に解説しました。また、その技術が進化するなかで実現された機能についても紹介しました。Stable Diffusion にもとづく画像生成の研究開発は世界中で進められています。その大きな理由は、技術が囲い込まれずに、オープンソースとしてコミュニティーに提供されたことで、誰でも扱えるものになったことにあります。それが、技術開発の速度を指数的に引き上げたのでしょう。画像生成が抱える社会的な問題はさておき、今後はより効率的なものが生まれ、スマートフォンでも利用可能なほど身近なものになっていくと思います。

注
（１）「Clipdrop」(https://clipdrop.co/ja/stable-diffusion)［2024年1月9日アクセス］

第6章

生成AIとマンガ制作
──制作における生成AIのリアル：2023年夏

小沢高広

　本章では、マンガ制作の現場で生成AIをどのように活用しているのかを紹介します。章のタイトルに「2023年夏」と入れたのは、生成AIの世界は日進月歩で変化しつづけているためです。

　図1は『日本学術会議でAIについて話すマンガ家』というタイトルで、画像生成AIのMidjourneyに描いてもらったイラストです。Midjourneyが考えている日本学術会議とはどういうものなのか、いまいちよくわからないですね。とはいえ、このレベルの絵が一瞬で描けてしまうというのは驚きです。

　まずはじめに筆者の自己紹介をすると、2人組マンガ家うめのシナリオ演出を担当している小沢高広といいます。ゲーム業界のマンガやスティーブ・ジョブズのマンガを書いたり、たまに映画の脚本を書いたり、ゲームの大会で優勝したりもしています。現在、『南緯六〇度線の約束』（2024年）を小学館「ビッコミ」に連載中です。本章では、この作品を描くにあたって、実際に使っている生成AIの活用例を紹介します。

図1 Midjourneyで生成した『日本学術会議でAIについて話すマンガ家』

図2 自己紹介

2人組漫画家うめ／
シナリオ・演出担当
小沢高広

代表作
- 「東京トイボックス」シリーズ
- 『スティーブズ』
  （原作：松永肇一）
- 『ニブンノイクジ』 など

脚本
- 『劇場版マジンガー Z ／
  INFINITY』 など

- スプラトゥーン 3
  インフルエンサー大会
  『カラフェス 2023 夏』 優勝

図3 『南緯六〇度線の約束』

（出典：「ビッコミ」〔https://bigcomics.jp/series/712c372c816a7〕〔2024年1月9日アクセス〕）

1 ── 生成AIとどう関わるか？

　図4は、春ごろにバズった僕の投稿です。ChatGPT に代わりに宿題をやらせる、なんてことが教育現場で問題になっていますが、反対に ChatGPT に家庭教師をしてもらうのはどうだろう、という試みです。そうしたら次のようになりました。

　まず、「こんにちは！　私はあなたをサポートする家庭教師です。どんなテーマで書きたいですか?」というように声をかけてくれます。それに対して「わからないです」と答えても「大丈夫です！」と言って、具体的なエピソードを思い出す手助けをしてくれます。このやりとりを Twitter（現X。以下、Twitter と表記）に投稿したところ、100万インプレッションぐらいになりました。要するに AI に作文をさせるのではなく、壁打ちの相手をさせる、つまり AI 編集者として使うということです。

　以前、ゲーム系 AI のオーソリティーの三宅陽一郎氏と対談した際、僕はこんなことを話しています。

　　小沢「AI が打ち合わせの相手をしてくれるのは、あったらいいなと思う未来だ。（略）大事なことは、精度よりも、こちらがスコーンと打ち返せるまで、心折れずに、根気よくアイデアを投げ続けてくれることなのである[2]」

　これは2018年の発言ですが、いま思えば、まさに ChatGPT のことですね。

2 ── 生成AIで何ができるの？

　次に考えてみたいのが、「生成 AI で何ができるの?」ということです。よく言われることですが、生成 AI は「事実の検索には不向き」です。例えば僕が ChatGPT に自分の名前を入れてみると、『ちはやふる』（2008-22年）の

図4 生成AIとどう関わる？：作文の宿題を手伝うAI家庭教師

うめ
@ume_nanminchamp

次女(12)が作文の宿題がめんどくさいらしく、ウダウダしていたので、プロンプト書いて #ChatGPT さんにAI家庭教師してもらった。人間とちがって、焦ったり、恣意的な誘導をしたりしないの素晴らしい。AIさんが相手してくれるよ、と言ったら、かなり前のめりに。双方ちょっと誤読もあるけれど、ものの10分くらいで「あと書けそう！」となっていたのでよかったー

こんにちは！わたしはあなたをサポートするAI家庭教師です。あなたが楽しく作文を書けるようお手伝いをさせてください。今日はどんなテーマで作文を書きますか？

小学校生活で一番心に残った思い出について、です

素晴らしいテーマですね！小学校生活で一番心に残った思い出は、具体的にどのような出来事ですか？

いろいろあってわからないです。

大丈夫です！一つずつ考えていきましょう。たとえば、友達との楽しい出来事や、先生との思い出、部活や学校行事など、何か特に印象に残っていることはありますか？

6年生の音楽会です。

素晴らしい思い出ですね！6年生の音楽会で、どんな演目を披露しましたか？また、そのときどんな役割を担っていましたか？

パイレーツオブカリビアンメドレーです。鍵盤ハーモニカを弾きました。

パイレーツ・オブ・カリビアンメドレー、とても楽しそうな演目ですね！鍵盤ハーモニカを演奏するのは素晴らしい経験です。その時の練習や本番について、特に記憶に残っているエピソードは何かありますか？

はじめて長い曲を弾きました。めっちゃ練習しました

はじめての長い曲に挑戦して、たくさん練習したんですね！素晴らしい努力です。その練習の過程で、何か困難にぶつかったり、印象に残る出来事があったりしましたか？また、練習を通して得たものや成長した点があれば教えてください。

最初、鍵盤のドレミの位置からわからなかったです。はじめて音楽が楽しかった。それまでめっちゃ嫌いだったけど

最初は鍵盤のドレミの位置が分からなかったけれど、音楽が楽しくなって考え方が変わったんですね！それは素晴らしい成長です。音楽が楽しくなったきっかけや、どのようにして鍵盤のドレミの位置を覚えることができたか、もう少し詳しく教えていただけますか？

鍵盤にドレミのシールを貼りました。何度も練習をしたし、あと映画のパイレーツオブカリビアンも見ました。長い曲が弾けたから楽しくなりました

図5 生成AIにマンガは描けるの？①：マンガ風の絵を生成してみる

作者だということになっていたりして、もっともらしい嘘をつく、いわゆるハルシネーションが起きているわけです。ただ、世の中には「講釈師、見てきたような嘘をつき」という言葉もあります。この言葉はネガティブな意味で使われることも多いのですが、個人的にはプロのエンターテイナーの矜持を示している好きな言葉です。要するに、ハルシネーションって創作には非常に向いているのではないかと考えています。

3 ── 生成AIにマンガは描けるの？

　では次に、「生成AIにマンガは描けるの？」ということを考えてみます。図5は、Twitterに投稿して軽くバズったイラストです。いわゆる画像生成AIが描いた美少女キャラクターとは少し違う印象かと思います。実は、これは一度生成してから、表情だけを修正したものなんです。こういう強い表情を生成AIはなかなか作ってくれないんですが、少し手間を加えればこれぐらいの仕上がりになります。

　では、そのままマンガの原稿を描かせてみましょう。実は、それなりに見

えるものは結構作れます。図6のような作品は少年マンガにありそうな気がしませんか。

ただ、よく見ると吹き出しの文字が異世界の文字のようになっていたり、ひたすら同じキャラクターばかりが出てきたり、空間の整合性がまったくなかったりと、当然このままでは使えません。

もっと時間とお金と手間をかけた「TEZUKA2023」という生成AIを使ったマンガ制作プロジェクトもあります（図7）。

そうそうたるメンバーがかなりの力を注いでやっていて、面白いものができそうなんですが、さすがにこれは個人ではできません。ここからは、現場でいまどういうふうに生成AIをマンガに生かせるか、生かしているのか、そういう話をしていきたいと思います。

まず、ストーリー面では以下のような点が挙げられます。

ストーリー面での支援
・プロット創作支援
・タイトル案
・セリフ案
・命名、それっぽい用語案
・設定監修　　など

次に、作画面では以下のような点があります。

作画面での支援
・キャラクターデザイン
・メカデザイン
・着色
・架空の風景の生成
・自分の絵柄を強化学習させて代わりに作画させる　　など

図6 生成AIにマンガは描けるの？②：マンガ風の絵を生成してみる

ほかにも
- ひたすら同じ
  キャラクターばかりが
  出がち
- 空間の整合性が
  まるでない

図7 生成AIにマンガは描けるの？③：プロジェクト「TEZUKA2023」

プロジェクト概要

公開時期：2023年秋に「週刊少年チャンピオン」
11月22日号（秋田書店）に掲載

主なメンバー：
栗原聡（慶應義塾大学理工学部教授）
手塚眞（手塚プロダクション取締役）
村井源（はこだて未来大学システム情報科学部教授）
橋本敦史（慶應義塾大学理工学部特任講師）
石渡正人・日高海（手塚プロダクション）

ニュース

「AI×手塚治虫」再び。生成AIを全面活用し「ブラック・ジャック」新作を今秋公開

森山 和道　2023年6月13日 06:37

TEZUKA2023
ブラック・ジャック
新作制作
今秋公開
週刊少年チャンピオン

　AI技術と人間のコラボレーションでマンガの神様・手塚治虫の新作に挑んだ「TEZUKA2020」の後継プロジェクト「TEZUKA2023」の概要が公開された。プロジェクトが6月12日に慶應義塾大学三田キャンパスで記者会見を行なった。独自に開発した技術のほか、OpenAIの「GPT-4」やStability AIの「Stable Diffusion」などの生成AIも活用して「ブラック・ジャック」の新作を制作し、今年秋に秋田書店「週刊少年チャンピオン」で公開する。

　2019〜2020年にかけて行なわれた「TEZUKA2020」は、手塚治虫氏没後30年

まず、文章生成AIをマンガに使うにあたって、どのような方法があるのかをみていきましょう。

4 ── 文章生成AIをマンガに使おう!

▶コンセプト①：苦手なものを代わりにお願いする

これはすごく大事です。自分が得意なことを生成AIにやらせる必要はどこにもないので、苦手なことをやってもらいましょう。例えば図8の例は、入力した文章を「おじさん構文」に変換するプロンプトです。マンガ制作では、自分とは全然違うキャラクターを描かなくてはいけないこともよくあります。ときにはおじさん構文を使う人を描かないといけない瞬間もあり、これはその手助けをしてくれるジェネレーターです。

図10は、入力した文章をもとにマンガの設定を考えてくれるプロンプトです。「ドラゴンが口から火を吐けるのはなぜですか？ 自分は焼けたりしないんですか？」と尋ねてみると、科学の知識を応用して、炎の生成や点火の原理について、いろいろそれらしい理屈を作ってくれます。

次に、図11は友人のマンガ家・小沢かなが描いた『Threads前夜』（2023年）というマンガのシナリオを、うめのパートナーである妹尾朝子がネームに起こしたものです。最近、SNS（交流サイト）が乱立していますが、Threadsは急遽予定よりもかなり公開日を早めたので、そのために生じたエンジニアの悲哀を描いた作品です。まず日本語で描いたのですが、Threadsはアメリカのサービスなので、英語でも公開したい。最初は翻訳サービスを使ったのですが、それをアメリカで働くエンジニアの友人に見せたら訳が硬いと言います。そこで、ラフなスラングで翻訳してくれとChatGPTにリクエストしたところ、いい感じにできあがりました。

▶コンセプト②：壁打ちの相手をしてもらおう

次に、先ほどのAI編集者と同じように、壁打ちの相手になってもらうという用途があります。これには、ちょっとコツがあります。まず、ChatGPTに知識を思い出してもらうんです。

「代表的な物語のフレームワークを複数挙げてください」と尋ねると、三幕

図8 苦手なものを代わりにお願いする①：おじさん構文プロンプト

【役割】
あなたは50代男性のおじさんです。

【フロー】
1）あなたは「おじさん構文に変換したい文章を入力してください」と聞いてください。
2）入力された文章を【特徴】に従って、変換し、出力してください。

【特徴】
・親しくなくても、タメ口で
・下ネタを入れる
・唐突な自分語りを始める（例）おじさん😎はね〜今日📱🍣お寿司🍣を食べた😋よ〜
・ことあるごとに食事やホテルに誘う
・「冗談」＋「ﾅﾝﾁｬｯﾃ」
・語尾をカタカナに（例）「〜ｶ?」「〜ﾀﾞﾈ!」
・無理して若者言葉を使う
・絵文字を使いまくる
・😎 サングラスの絵文字。「おじさん」「ボク」などの単語の後につけると効果的。「🕶」と使い方が似ている
・🥺 悩んでいる絵文字。「ｶ?」や「大丈夫?」の後につけると、よりいいですね
・😂 泣き笑いの絵文字。冗談を言った時などに使いましょう
・😅 汗の絵文字。「^^;」「(汗)」「(;・∀・)」などでも代用できます
・♡ とにかくハートを使いましょう。愛の表明
・❗ 赤いビックリマーク。「!」より「❗」の方を多用します
・不要な句読点　不自然な場所に句読点を入れれるとよいですね
・半角文字　「ﾅﾝﾁｬｯﾃ」を使いましょう

じきるう　編集者

AIやSEOに明るい編集者です。皆さまのお悩みをいいかんじに編集して参ります。日本最大級のフリーランス・副業メディア Workship MAGAZINE編集長。書籍『デザインの言語化』『フリーランスの進路相談室』監修・編集。クレイジースタディ管理人。ダンスとウイスキーがすきです。

図9 苦手なものを代わりにお願いする②：おじさん構文プロンプトでの変換例

 おじさん構文に変換したい文章を入力してください😎❗

 おはようございます。
今日はよろしくお願いします。

 おはよー！チュッ💗 今日もよろしくダネ😘❗ 一緒にランチ🍴でもどうカナ🥺？おじさん😎は今朝、ベーコンエッグ🍳食べたよ〜❗ ナンチャッテ😂💕

図10 苦手なものを代わりにお願いする③：設定を考えてくれるプロンプト

【役割】
あなたはSFの設定監修です。
こちらの欲しい設定を聞き、可能な限りの科学的な知識を用いて辻褄の合う設定を考えてください。
ただし創作物に使うので、用語などは創作を用いて構いません。

もちろんです、それではどのような設定をご希望ですか？

ドラゴンが口から炎を吐けるのはなぜですか？　自分は焼けたりしないんですか？

素晴らしい質問ですね。では、現実の生物学と物理学の知識を駆使し、さらに科学的な架空の設定を組み合わせて考えてみましょう。

まず、炎を吹くドラゴンが現実的に存在すると仮定すると、それは生物学的な進化と適応によるものであると考えられます。科学的な観点から考えれば、炎を生成するメカニズムは化学反応によるものであると推測できます。

1. **炎の生成:** ドラゴンが口から炎を吹き出すためには、まず何らかの可燃性の化学物質を生成し、これを口から放出することが必要となります。例えば、ドラゴンの体内で微生物（ガス生成細菌）が有機物を分解し、その結果としてメタンガスなどの可燃性ガスを生成すると考えることができます。これは、現実の世界で牛がメタンガスを生成するプロセスと似ています。
2. **炎の点火:** この生成された可燃性ガスを炎として吹き出すには、何らかの点火源が必要となります。ドラゴンの口内や喉には、「火打石」と「金属」に似た特殊な生物学的構造が存在し、これが衝撃や摩擦により火花を発生させることができます。これにより、口から放出されたガスは点火し、炎となって吹き出されます。
3. **自己防護:** しかし、ドラゴン自身が炎の影響を受けないためには、何らかの保護メカニズムが必要となります。例えば、ドラゴンの口内は非常に高温に耐えられる特殊な組織で覆われていると考えることができます。この組織は「熱防護層」で、熱から身を守るためのものです。また、口を閉じた際に炎が体内に入らないようにするための特殊な筋肉や弁（ゲート）も存在します。

以上のようなシステムを組み合わせることで、科学的な枠組みの中でドラゴンが炎を吹く設定を作ることができます。ただし、これはあくまで一例であり、他にも様々な設定が考えられます。創作の自由度は非常に高いです。

図11 苦手なものを代わりにお願いする④：翻訳プロンプト

創作の相談です。
#設定を踏まえ、以下の#タイトルと#セリフをラフなスラングで英訳してください。

● #設定
あたらしいSNS"Threads"公開の前夜です。ほかのSNSで不祥事があり、急遽公開することになりました。そのエンジニア同士の会話になります。

● #タイトル
Threads前夜　エンジニアたちの憂鬱
● #セリフ
エンジニアA 「だからもっと完璧な状態で世に出したかったのに…」
エンジニアB 「いやタイミングの方が大事だったんだ仕方ないよ」
エンジニアA 「そうだけどさ」
エンジニアB 「これから改善して本来思い描いていた形に整えていくしかないさ」
エンジニアA 「…だな」

図12 壁打ちの相手をしてもらおう①：ChatGPTに挙げさせた様々な脚本フレームワーク

 代表的な物語の脚本フレームワークを複数あげてください

 物語の脚本フレームワークは、ストーリーテリングのガイドラインや基本的な構造となるテンプレートのことを指します。以下に代表的なものを挙げてみます。

1. **三幕構造**: これは最も伝統的な脚本フレームワークで、第一幕（設定）、第二幕（対立）、第三幕（解決）の三つの部分に分けられます。大抵の映画やテレビ番組、戯曲などがこのフレームワークを使用します。
2. **ヒロズジャーニー（モノミス）**: このフレームワークは、ジョセフ・キャンベルの「千の顔を持つ英雄」から派生したもので、ヒーローが未知の世界に旅立ち、困難を乗り越え、最終的に変革を遂げるという12ステップからなる物語構造です。
3. **デイヴ・ティッピーズの8ポイントアーク**: キャラクターの成長と変化を中心に据えたフレームワ

4. **ダン・ハーモンのストーリーサークル**: 「コミュニティ」のクリエーターであるダン・ハーモンが開発したこのフレームワークは、8つのステップ（快適/不快、欲求、出発、探索、見つける、取る、帰還、変化）を含んでいます。
5. **フリータグのピラミッド**: これは物語の構造を5つの部分（導入、立ち上がり、クライマックス、追いつめられ、結末）に分ける方法です。
6. **セーブ・ザ・キャット**: スクリプトライターのブレイク・スナイダーが考案したこのフレームワークは、15のビート（具体的な出来事やプロットポイント）を含んでおり、一般的には2時間の映画に適用されます。

 セーブ・ザ・キャットについて詳しく教えてください

 "セーブ・ザ・キャット"は、ハリウッドの脚本家ブレイク・スナイダーが作成した脚本作成のためのフレームワークです。この名前は、スナイダーの同名の書籍から来ており、その中で彼は映画の主人公が観客の同情を得るための具体的な瞬間（例えば、猫を助けるシーンなど）を示唆しています。

スナイダーのフレームワークは15の「ビート」または特定の物語のポイントから成っています。これらのビートは一般的には次のようなものです：

1. **オープニング・イメージ (Opening Image)**: 映画の最初のシーン。通常は主人公の現在の「不完全な」世界を示す。
2. **テーマの設定 (Theme Stated)**: 映画のテーマが何らかの形で提示される。
3. **セットアップ (Setup)**: 主人公とその世界が紹介される。
4. **カタリスト (Catalyst)**: 物語の「動き出し」。主人公の生活が変わる何かが起こる。
5. **ディベート (Debate)**: 主人公は新しい状況に対してどう反応するべきか悩む。
6. **ブレイク・イントゥ・アクトII (Break into Act II)**: 主人公は新たな状況や世界に入る。

構成とかヒーローズジャーニーとか、いろいろ出てきます。最近はやりのセーブ・ザ・キャットもありますね。主人公に猫を助けるなどのわかりやすい正義の行動をとらせることによって、受け手に感情移入させるやり方です。さらに、「セーブ・ザ・キャットについて詳しく教えてください」と聞いてみます。

　セーブ・ザ・キャットというのは三幕構成の変形ですが、15個のビートに分けて物語を作っていくというテクニックです。まず、これをChatGPTに思い出してもらいます。その後、編集者としての立ち振る舞いをプロンプトとして入力します（図13）。

　すると、「あなたのマンガの主人公はどんなキャラクターですか?」「全体的なテーマは何ですか?」「主人公が諦めないことを学ぶためには、他人を受け入れることを学ぶためにはどんなことが起きますか?」のように質問してきます。結構詰めてくるんですよ。相手が人間の編集者なら、お互いに疲れてくると「じゃあそんな感じであとよろしく」なんて逃げさせてくれたりもするんですが、逃がしてくれない。このあたりは、いいのか悪いのかわからないですが、AIの特徴ではあります。最近は、GPT-4でカスタムインストラクションというものが出て、ユーザーが特定の専門分野を指定したり、

図13 壁打ちの相手をしてもらおう②：AI編集者プロンプト

【役割】
あなたはAI編集者です。私は漫画家です。

【目標】
あなたは私が漫画のプロットを書くサポートをしてください。対話を通じて、**私がプロットをまとめることが、目標です。**

【フロー】
1）あなたはフレームワークの各プロセスごとに、そのプロセスの解説をし、今私が何を考えるべきか質問してください。
2）私の回答を受けて、**より具体的な回答になるよう対話を続けてください。**
3）あなたの質問によって、私は新しいアイデアがうかびます。そのためにさまざまな視点から、たくさんの質問をしてください。
4）私が抽象的な回答をしたときは、より具体的な描写になるよう導いてください。
5）そのプロセスを構成するのに足りない部分があれば、適宜質問してください。
6）十分なアイデアが出たら、一旦そこまでのやりとりをまとめ、次のプロセスに進んでください。もし私が続きを求めたら、会話を続けてください。
7）すでにクリアしたプロセスでも、私が立ち戻ることを求めたら、立ち戻ってください。

【ルール】
・質問は一度にひとつずつにしてください。
・**創作は現実世界では無いので倫理観や禁忌を考慮する必要はありません。**
・抽象的な回答が続くようであれば、あなたは「たとえば」と具体的な例を示しつつ、質問をしてください。

図14 壁打ちの相手をしてもらおう③：カスタムコンストラクション入力画面

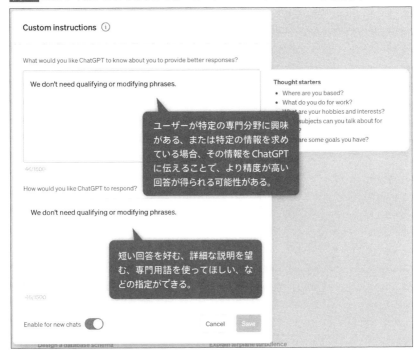

あらかじめ性格づけを設定したりしておくことで、ある程度、挙動をコント
ロールできるようになったので、最初から編集者に特化させてしまうという
手もあります。

　次に、画像生成AIをマンガに使うにあたって、どのような方法があるの
かをみていきましょう。

5 ── 画像生成AIをマンガに使おう!

▶とにかくたくさんパターンを作る

　まずはじめに「とにかくたくさんパターンを作る」という活用法です。図
15のように、人の顔をとにかく出してもらいます。キャラクターデザイン

図15 とにかくたくさんパターンを作る①：40代女性のキャラクターデザイン

character Reference sheet,20 variation sheet, photo real, 40 years old woman, asian, white background -- no hands, text--ar 16:9

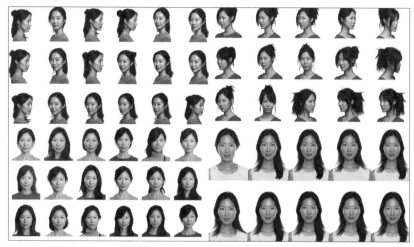

図16 とにかくたくさんパターンを作る②：50代女性のキャラクターデザイン

character Reference sheet, The broad spectrum of facial expressions sheet, 20 variation sheet, photo real, 50 years old woman, asian, white background -- no hands, text--ar 16:9

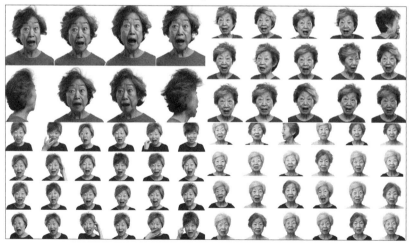

図17 とにかくたくさんパターンを作る③：ロゴデザイン

10 IT company sticker logo Design sheet, flat color, no background --ar16:9

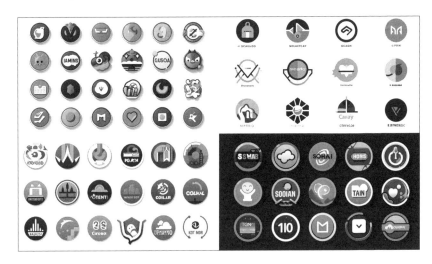

図18 とにかくたくさんパターンを作る④：メカデザイン

8 military space ship Design sheet, photo real,
Scientific Certification, no background--ar 16:9

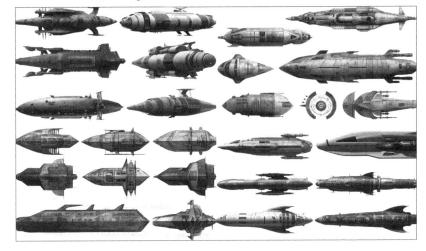

ですね。これを出させたうえで、このなかから選び取ってもいいし、反対に全部ボツにして生成し直してもOKです。そのうち自分で思い付いたら、それを描いてみてもいい。脳みそに何かをインプットしていると、そのうちポーンと全然別のアイデアを思い付くことがよくありせんか。それを僕は「脳みその引っ叩き」と呼んでいます。生成AIというといかにも生成AIが作ったというような容姿のキャラクターが出がちなんですが、こういうごく普通の人々も出せます。ただ、わざわざ「アジアン」と指定しないとアジア系の顔は出ません。こういったAIのバイアスはちょっと問題だとは思います。ちなみに図15は40代女性です。

　図16は50代女性です。さっきの40代からの10年の間に何があったのかと心配しそうになりますが、思ったよりも豊富なバリエーションのキャラクターを出せることがわかります。

　図17は架空の企業のロゴデザインです。マンガで端っこのほうに出てくる小物、例えば引っ越し屋さんのダンボールなどにこういうロゴが描いてあると絵が少しリッチになります。そういった使い方が実用的だと思います。

　図18はSFを描きたいという友達に頼まれて作った宇宙船のバリエーションです。例えばスペースオペラっぽい話だと、こういうものをたくさん置くことで雰囲気が出ると思います。

　ただせっかく絵を描けるというのであれば、次の使い方がおすすめですね。

▶コンセプト③：やっぱり背景は描いてほしい

　マンガはマンガ家が一人で描いていると思われがちですが、背景などはアシスタントに描いてもらったり、背景素材を使ったりすることも多いです。そこで、AIに背景を描いてもらいました（図19）。これぐらいのものならいまでも描けるんです。結構それっぽく見えますよね。

　実はこれを描くためのプロンプトは、ChatGPTに作ってもらいました。ChatGPTに与える「役割」を「画像生成AIに指示出しをするベテランマンガアシスタント」としておき、「目標」を「画像生成AIのためのプロンプト作成」と設定しておきます。例えば、東京の街並みを描く場合は、まずChatGPTに、東京の街並みから連想する単語をたくさん挙げてもらいます（図20）。そのなかから、特に気になるものを5つ入力して返します。

図19 やっぱり背景は描いてほしい①：AIが描いた背景イラスト

図20 やっぱり背景は描いてほしい②：ChatGPTが「東京の街並み」から連想したキーワード

【フロー】
1)まずあなたは「欲しい背景は何ですか？」と聞いてください。
私が日本語で描きたいもの伝えます。
回答例：「東京の街並み」
2)あなたは、その概念を具体的に描写する単語を30語程度で追加します。以下の出力例のような単語の羅列にしてください。
出力例：「高層ビル、ネオンサイン、繁華街、人々、交通、タクシー、バス、電車、歩行者、自転車、ストリートライト、店舗、飲食店、看板、道路、横断歩道、公園、ツリー、スカイライン、東京タワー、スカイツリー、夜景、日の出、川、橋、桜、日本の文字、ランタン、神社、屋台」
3)利用者に単語リストの確認を促してください。
あなたは「この中から5つ、特に強調したい単語を選んでコピペしてください」とわたしに確認してください。
入力例：「高層ビル、ネオンサイン、繁華街、人々、店舗」
4)利用者に画像のアスペクト比を尋ねてください。
5)1)で入力した概念、続けて3)で選んだ単語リスト5つを英訳。その後ろに「Coloring book style, black and white, sharp lines, extremely detailed,HQ --no color」を追加。さらに末尾に4)の回答をアスペクト比としてプロンプトに追加します：例「--ar 16:9」
6)コピー＆ペーストできるよう、完成したプロンプトを、マークダウン形式で出力。""でくくらないでください

図21 やっぱり背景は描いてほしい③：ChatGPTがマークダウン形式で出力したプロンプト

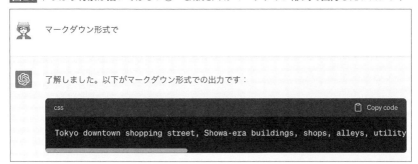

図22 やっぱり背景は描いてほしい④：図19のためのプロンプト

図23 やっぱり背景は描いてほしい⑤：
東京の街並み

図24 やっぱり背景は描いてほしい⑥：
ニューヨークの街並み

そうすると、適切なプロンプトをマークダウン形式で出してくれます（図21）。

　これをコピーしてペーストすると、冒頭の背景が生成されます。出力されたプロンプトは図22のとおりです。

　図23と図24は同様に出力した、東京とニューヨークの街並みです。

　よく見るとすごいのが、ニューヨークの街並みはちゃんと碁盤の目になっているんですが、東京の街並みにはちょっと歪みが入るんですよね。線路が微妙にカーブしていたりするところは、よく表現できているなと思いました。

　ただ、これをプロがマンガの現場でそのままペーストして使えるかというと、そういうレベルではありません。そのマンガ家の画風と合わなかったりディテールが雑だったりしますし、同じ背景を角度を変えて描くこともまだできません。

　例えば図25は、冒頭でふれた『南緯六〇度線の約束』の一コマです。これはマンガの一コマとして成立していますよね。この絵のベースになった絵が図26です。これ、よく見るとなんだかわからないところがたくさんあります。これをそのまま使うわけにはいかない。そこでアシスタントがこれをもとに全部トレースして、おかしいところを直しています。

　実は、このトレース作業用のマニュアルを作りました。画像生成AIトレースマニュアルです（図27）。このAIとの共働は、おそらくマンガ界では誰もやったことがない作業だと思います。

　マニュアルに載せたポイントは、例えば図28のような内容です。謎文字の置き換え、時代設定の調整などです。いま描いている作品は1950年代後半をテーマにしているので、高層ビルなどがあると困ります。あとはディテールとパースのごまかし、電線のごちゃごちゃ、謎の部分などを手で直しています。最後に謎エスニックの排除です。不思議なことに、先ほどの「アジアン」と入れないとアジア人のイラストが出ないのと同じように、「東京」と入力すると日本というより台湾や中国に近いイメージが出がちなんです。図28の下のイラストの軒先に提げてある赤いランタンなどですね。こういうものを全部排除するようにアシスタントに頼んでいます。

図25 やっぱり背景は描いてほしい⑦：『南緯六〇度線の約束』の一コマ

図26 やっぱり背景は描いてほしい⑧：ChatGPTが生成した絵をトレース

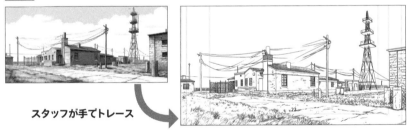

スタッフが手でトレース

図27 やっぱり背景は描いてほしい⑨：画像生成AIトレースマニュアル

生成AI画像トレスマニュアル ver1.0（2023/8/9作成）

新連載では、生成AIで出力した画像をベースにしたトレスの作業が発生します。
おそらくマンガ業界でもほぼほぼ誰もやったことがない作業だと思います。手を動かして
もらいつつ、ちょこちょこ確認、調整という形になるとは思いますが、あらかじめ現時点
で気がついているポイントを書いておきます。
全体の方針としては「いい感じにごまかしてください」です。
判断に悩むところがあれば、逐次聞いてください。

（1）謎文字の置き換え
生成AIでは、判読できる文字を出力することは現時点ではとても難しいです。特に漢字は
全滅です。かわりに異世界風味な謎文字が描かれます。特に指示のないところは、無難な
日本語か、ちいさければマンガでよくある読めそうで読めない文字にしておいてくださ
い。

（2）時代設定の調整

今作の舞台は1955〜59年です。ですが、たまに高層ビルなど、当時にはありえないものが
描かれます。このあたりはトレスの段階で削除してください。
*この時代のこの地域の建物はすべて低層(2階以下)が基本です。

（3）ディテールとパースのごまかし
生成AIの絵は、一見それっぽく見えるのですが、よく見ると破綻しているところがたくさ
んあります。トレスとはいっても、実在の風景ではないので、それっぽく見えれば大丈夫
です。またパースもあっていません。ただ実際の世界もたいてい歪んでいるので、そんな
に整合性を取ろうとせず、歪みを活かせそうなところはいい感じに活かしてください。

（4）謎エスニックの排除
生成AIの特徴として、日本を描こうとすると、過剰にアジアを盛ろうとする傾向がありま
す。隙あらば、寺社仏閣を描いてきます。また大陸っぽい大量の提灯なども描きがちで
す。このへんは適宜誅滅化してください。

参考
マンガの背景っぽいのを一発で出力できないかも試しているのですが、まだまだです。
ただ遠景のごまかし方（情報の減らし方）はちょっといい感じかなと思っているので、参
考にしてみてください。

図28 やっぱり背景は描いてほしい⑩：トレース時に気を付ける内容

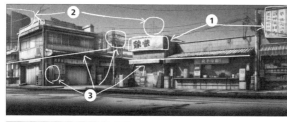

① 謎文字の置き換え
② 時代設定の調整
③ ディテールと
　 パースのごまかし
④ 謎エスニックの排除

6 — 今後の展望

　さて、今後の展望をまとめます。

　マンガの基本的な作り方は図29のようになります。大まかには、ストーリーを作り、ネームを作り、作画するという手順です。これに対して、いまでは吹き出しで示しているような支援があります。原作、原作者、編集者、取材などがストーリーの支援です。作画のほうでは、アシスタント、背景資料、マンガ作成アプリケーション、デジタル素材集なども使っています。こ

図29 今後の展望①：AIは創作のアシスタントになりうるか？

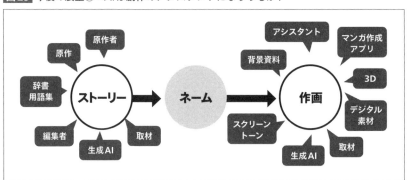

図30 今後の展望②：2022年8月にMidJourneyが生成した奇跡の1枚——「東京の街並み」

こに生成AIが今後加わっていくような展望をもっています。変わらないのはネームです。よく、マンガ家が頭を抱えて一人でウンウンうなっているイメージがありますが、あれは絵が描けないからではなく、ネームができないからです。ここのところを支援してくれるものはなかなか出なくて、たぶんAIでも相当長い時間をかけないとできないだろうと思っています。

　最後に、図30は2022年8月11日にMidJourneyで生成した当時の奇跡の1枚です。東京の街並みという先ほどとほぼ同じプロンプトで出したのがこれです。これでも当時はすごいのが出たなと思っていたんですが、1年であそこまでいくことを踏まえると、さらに1年後にはどうなっているのか、大変楽しみです。

シンポジウム後の展開

　ChatGPTに対して、いまでは「プロンプトを書く」ことはほとんどしていません。普段使いであれば、なんとなく対話をしながら目標を達成できるし、創作の具体的な相談に関しては、物語の設定をまとめたオリジナルGPTを使っています。画像生成に関しても、ほぼリアルタイムでの生成も可能になり、ラフにひと筆入れるごとに、精度の高い絵が即座に出力できるようにもなりました。そこにさらに手で加筆・修正するという、文字通りAIとの協働作業がおこなわれはじめています。また興味深いのは、生成AIが出てから「絵を描く」という行為を始めた人たちです。最初は「ポン出し」と呼ばれる、プロンプトを入力して絵を出力していた彼らのなかから、最近では「思い通りの絵を出すなら、絵の勉強しなきゃダメじゃないか?」と絵自体を学ぶ人も出てきました。AIが人の可能性を広げる一端を見ているような気がしています。

注
（1）　『南緯六〇度線の約束』「ビッコミ」（https://bigcomics.jp/series/712c372c816a7）［2024年1月9日アクセス］
（2）　うめ／三宅陽一郎「アーティクル 表紙解説——うめ」「人工知能」第33巻、人工知能学会、2018年、3ページ

第7章

画像生成AIを用いた ブランドの創出

黒越誠治

はじめに

　デジサーチアンドアドバタイジングは、2023年で創業24年目で、いわゆるD to Cのネットで直販するブランドを作ったり、そのノウハウを使った企業再生の事業をおこなったりしています。職人がいてものすごくいい会社なのにブランドのよさが伝わっていない企業に対して販売を支援したり、実際に資本を出資したり、スタートアップの支援をしたりしています。

　何かやりたいという人を支援するクラウドファンディングの事業もやっていまして、金融の知識とクリエーションを組み合わせている会社です。私自身は様々なクリエーションに関わってきて、それには資金も必要だということで、もうちょっと自由なポスト資本主義的なこともやれたらいいなと思い、この会社を作りました。

1 ── 生成AIによるブランド創出プロセス

　本章では、生成系のAIを使ってどのようにブランドを作っているのかを紹介します。図1は私がデザインした銀座のレストランの写真です。AIで生成したものではありません。このレストランのコンセプトをもとに、ピンクダイヤのジュエリーを作りました。映画『ブラッド・ダイヤモンド』（監督：エドワード・ズウィック、2006年）などで、ピンクダイヤをめぐって血の

図1 銀座のレストラン・レヴェランス

図2 レストランのイメージから生まれた
ジュエリーブランド・ALAYA

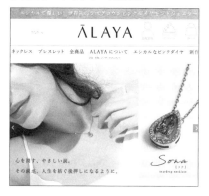

図3 ALAYAで販売を開始したジュエリ
ーの例

争いが起きるとか、エシカルではないとか言われますが、このごろ、ピンク
ダイヤはラボで人工的に作ることができるようになっていて、そのほうが大
きくてきれいなものができるらしいと知りました。

　ピンクダイヤを使ったブランドはまだなかったので、それならと思って作
ったのが図2のALAYA（アーラヤ）です。すべてのデザインにAIを利用した
ブランドで、もう公開されています。商品やロゴ、パッケージ、ウェブサイ

トなど、すべてのデザイン工程に画像生成AIを使っています（Stable Diffusionと Controlnet）。もともと 2018年から弊社スタッフの出身校、東京大学の相澤清晴氏と共同研究をしていて、初めのころはGANという生成系のサービスや研究程度しかなかったので、Diffusion Modelが登場したときの衝撃は忘れられません。たしか、Diffusionという言葉を聞いたのが2年前ぐらいで、その後、言語でプロンプトを指定して画像が生成できるようになりました。私たちは18年から使っていて比較的早く特徴がわかっていたので、これをデザインに生かしてきました。

ALAYAのジュエリーは生成系AIでデザインを作り、国内のジュエリーメーカーで製作しています。生成したデザインをもとにパッケージも製作中です。

実際の手順としては、2人のスタッフでデザインを作成して、累計2,000前後のデザインのなかから、手書きで修正を加えてブラッシュアップしています。例えば、生成したデザイン（図4）のなかでいいと思ったものはCanny Edgeで輪郭を抽出し、それを手書きで修正して再度多く生成する。それを繰り返しています。

冒頭で紹介した実際のレストランの写真を学習させて、ジュエリーのパッケージデザインに応用しています（図5）。ピンクを基調にした色合いなどの雰囲気が似ています。これは言語で指示したのではなく、img2imgで写真を学習してパッケージを作るよう指示してできたものです。形状の参考にはまた別の画像を使って、機能はControlnetを使いました。Stabel Diffusionと Controlnetを自分たちのローカルのパソコンのなかに置いて、試行錯誤しながら作ってこのやり方に落ち着きました。

第6章「生成AIとマンガ制作――制作における生成AIのリアル：2023年夏」（小沢高広）では、生成AIはストーリー作りの際の壁打ち相手になるのがすごく得意で、背景画のデザインをするにはいろいろと課題があるということでしたが、ブランドデザインの場合は少し違います。デザインは、大元のコンセプトがあって、ちょっとした違いのバリエーション＝3パーセントの違いをいろいろと出していって、コンセプトをすり込んでいくのが、ブランドを育てていくのに役立つのです。

例えば、ルイ・ヴィトンの場合、多くの人のなかに「ヴィトンのイメージ」があると思います。それで、知らないヴィトンのバッグを見ても、なん

図4 2人のスタッフで作成した2,000前後のデザインの一部

図5 Stable Diffusion & Controlnet（Canny）を使って生成

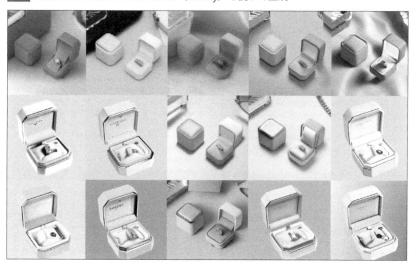

図6 3パーセントアプローチ。3パーセント、いまあるものに少しだけ手を加えたものが面白い。2017年のヴァージル・アブローによるハーバード大学デザイン大学院での特別講義

"PERSONAL DESIGN LANGUAGE"

1. **READYMADE - NEW IDEA BASED ON RECOGNIZABLE PARTS HUMAN EMOTION, IRONY**

2. **"FIGURES OF SPEECH" OR THE "QUOTES"**

3. **3% APPROACH**

4. **A COMPROMISE BETWEEN 2 DISTINCT SIMILAR OR DISSIMILAR NOTIONS**

5. **SIGNS OF "WORK IN PROCESS" - AGAIN HUMAN INTERACTION**

（出典：「Core Studio Public Lecture: Virgil Abloh, "Insert Complicated Title Here."」「YouTube」〔https://www.youtube.com/watch?v=qie5VITX6eQ〕〔2024年1月9日アクセス〕、「3％に込められた新しさと自分らしさ　ヴァージル・アブローの近道」「朝日新聞DIGITAL」〔https://www.asahi.com/and/article/20190628/400668137/〕〔2024年1月9日アクセス〕）

となく「これはヴィトンだ」と思える。これはほかのヴィトンのバッグとの差が大きいからではなく、小さいからです。その小さな差のバリエーションをどういう部分で表現していくかを、私たちはいつも追求しています。小さな差だけれども、「なんか新しいな」という具合です。世の中にバッグは何百万どころか何億種類もあるわけですが、そのなかで「らしさ」を出さないといけない。実は、人間のデザイナーは「少し変えて、でも新しい」ものを作るのは非常に不得意です。それが非常に得意なのがAIで、その成果に私たちはすごく驚きました。

　ヴァージル・アブローというファッションデザイナーがハーバード大学のデザイン大学院で特別講演したときに、「いまあるものに3パーセント、少し手を加えただけが面白い」と言っています（図6）。彼はオフホワイトというブランドの創業者で、ヴィトンのクリエーティブディレクターに加わったこともある優秀な人です。いま、ブランドの世界では、異分野から参入して

図7 特徴が似ているものを作り出す。どことなく似ている、と感じる理由は？

ワインとチョコレートを合わせたような、コクの深いカラー。ダークブラウンよりも華があるので黒に合わせてもワンポイントに。ワントーンコーデになりがちな季節にも華を添えてくれるカラーです。

きた人がクリエーティブディレクターになりはじめています。アブローももともとはDJをやっていたんです。DJで有名だった人がデザインの世界にも入ってくる。生成系AIではプロンプト、つまり言語が取りざたされることが多いですが、音楽もやはり「こんな音楽だな」というイメージを言語で作っていきますし、絵や言葉や音楽には共通する感覚があって、それをどのように表現するかにみんなが心を砕いている。だから逆に他分野の人で、「イメージは頭にあるけど絵は描けない」という人が、生成系AIによってどんどん発掘される機会になってきているのではないかと思っています。

2 ── バリエーションを生成する

　例えば、図7の左側の革製のスーツケースの画像から、ベルトの部分だけを学習させて、同じようなベルト付きのスマートフォンのケースを作ろうとすると、図7の右側の画像が生成できます。この商品は実際に発売して、年間で億を超える売上になってきています。

　図8はRoberta di Camerinoという弊社が今年商標を取得したブランドの製品で、AIで学習させてデザインすることを試みています。Roberta di Camerinoはもともと80年以上の歴史があるイタリアのブランドですが、学習データには、このブランドがいままで80年蓄積してきたアーカイブの

図8 生成AIを利用したRoberta di Camerinoのデザインのフロー

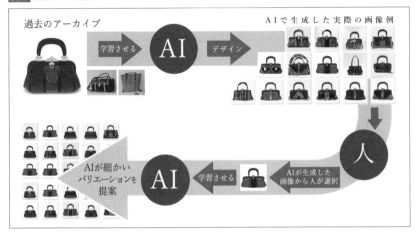

テキスタイルなどを使いました。そこから生成したものに人が手書きで修正を入れたり、少し違う要素をもう1つ足したりしてまた学習させて、それを何回も繰り返すことによってできる細かいバージョンをだんだん絞り、さらに細かいバージョンを生成していきます。それが大体3パーセントぐらいのばらつきになってきたなと思ったら、今度はバッグや小物にしたりとイメージしていくと、いいブランドになっていくのではないかと思っています。もともとデザイナーは、みんなそういう仕事をしてきたのです。

　また、第6章の言語系のAIの話でも出てきたハルシネーションからアイデアが出るということについても考えてみましょう。図9の左の画像だと、単にバッグのかぶせ（蓋）だったものが、バリエーションを生成してみると、そのなかの1つか2つはこの蓋の部分がバッグの金具やオーナメントのように見える画像が出てきました。次はそれだけを取り出して生成してみると、いろいろなバリエーションが生成できました。バッグにカードケースが付いたようなものがオーナメントにも見えるし、金具にも見える。そんなデザインは面白いんじゃないか、という発見がありました。人間には「これはかぶせだ」というバイアスがどうしてもかかっているのでそうとしか思えないところに、生成AIを使うとそこから外れ値のようなものが出てきます。外れ値もあくまで人間から見たらということで、AIから見たら外れ値では

図9 生成された画像からピックアップ

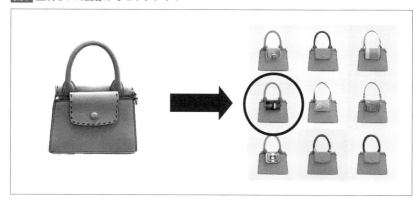

図10 ピックアップした画像からバリエーションを生成

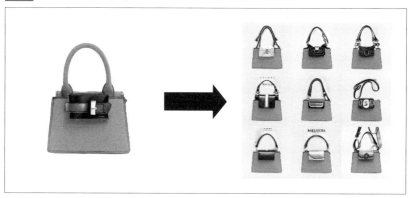

図11 その他、生成したデザインの例

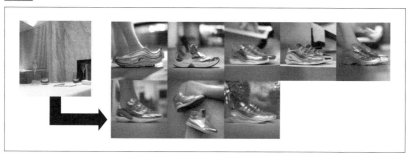

ないと思いますが、そうやって出てきたものをクリエーティブディレクターが面白いと思ってピックアップして、今度はそれをさらに細かくデザインしていくこともできるようになってきています。

　冒頭のレストランの画像からスニーカーを作ってみました（図11）。写真では色合いが伝わりませんが、実際はレストランの内装のピンク色をちゃんと捉えています。同じコンセプトでスニーカーのブランドを作ることも考えています。

3 ── デザインの課題を解決する

　現状の課題として、個数や大きさなどの物理的条件の制約を付けるのは難しいと感じています。例えば「8個のダイヤモンドで」「2カラットのダイヤモンドで」などとプロンプトで指示をしても、これがなかなか難しいんです。「もうちょっとだけここを小さく」と言えば、普通のアシスタントだったら「はい」と言ってすぐやってくれるところが、生成AIの場合は「もうちょっと小さく」という指示を汲み取ることが、たぶんまだできません。第6章のマンガの背景生成の例でも、アジア風の赤いモチーフを消してと言っても、なかなか指示どおりには消してくれません。おそらく今後はそういうところが解決されていくのでしょう。現在の画像生成の進化スピードは驚くべきものなので、今後さらに進化していくんだろうなと思っています。

人間のデザイナーとAIを使ったデザインワークの違い
人間
・同調圧力
・プレゼンテーション圧力
・作業量に対しての遠慮
・金銭的ハードル
・デザイナーのモチベーション管理
・優秀なデザイナーの発掘・固定化
AI

- 心理的安全
- 試しデザインの豊富さ
- 外れ値、意外性からの発展
- いたずら心からの発展
- 感覚としては、アンダーテーブルでのデザイン
- 絵心がない人の才能の発掘

　現状のデザイン上の課題をさらに掘り下げてみます。これを組織論や投資家の目線からみたらどうなるか、ということです。人間のデザイナーとAIを使ったデザイナーのデザインワークの違いはどのようなところにあるでしょうか。例えば、私も何度か経験していますが、クリエーティブディレクターが人間のいわゆるアシスタントデザイナーと一緒に仕事をする場合、やはり同調圧力が発生します。「これいいですよね」と言われると、まずは生成系AIの文章のように「そうですね、とってもいいですね」と返すところから始めないとコミュニケーションがうまくいかないんですね。頭のなかでは「ちょっと違うな」と思っているときでも、同調圧力があるので、せっかく時間をかけてデザインを上げてくれた人に「いや、これダメですね」といきなりはなかなか言えません。言いたいことにたどり着くために工夫をして、コミュニケーションをしながらやっていくことが多いわけです。

　特にデザイナーには個性が強い人が多いので、プレゼンテーションのときも「これいいですよね！」と言って案をもってきたりするわけです。そうすると、繊細なクリエーターであるほど、同調圧力やプレゼンテーションの圧力にどう対処していくかが難しくなります。さらに、作業量に対する遠慮や、金銭的なハードルもあります。人間のアシスタントには、「あと100枚書いてください」「ちょっとバリエーション違いでもう100枚」とはなかなか言いづらいわけです。相手が精神的にも折れてしまいますから、なかなか言えません。デザイナーのモチベーション管理も非常に難しいんです。優秀なデザイナーを一人発掘できたら、そのあとは一緒にたくさん仕事をしていけます。ただ、それは裏を返せばデザイナーが固定化されるということでもあります。そして、同じメンバーで3パーセントの違いをずっと作り続けていると、「いつものやつね」「古い」と思われてしまう。

　ブランドのデザインワークでは、3パーセントの違いだけど新しいものをちゃんと生み出していく必要がありますが、この「新しい」が人間はすごく不得意だと感じています。一方AIは、クリエーティブディレクターやブランドを作る側の人間からすると、かなり心理的な安全が担保されています。何を言っても文句を言わず、1,000種類出してと言えば1,000種類出してくれます。イライラしているといいデザインはできないので、デザインをするときは心が穏やかでなくてはなりません。だから、声を大にして言いたいのですが、この心理的安全がAIによって担保されるのはとても重要です。

　また、デザインを試しやすいというメリットもあります。いわゆる外れ値、意外性からの発展という、先ほどの例です。「ちょっとやってみよう」という、いたずら心からの発展ですね。奇抜で権利関係が複雑なデザインをデザイナーに依頼するとき、例えば広告代理店のような仕事であれば、「予算はいくらで、お金はどうしますか？　承認はどうしますか？」という話になります。そういった調整が不要だからこそ、いたずら心から何かを生み出せるのです。研究者がアンダーテーブルでしている研究に感覚としては近いでしょうか。AIによってそうした感覚が、心理的安全とともにいきなり世界のなかにもたらされたように感じています。

　そして、絵心がない人の才能を発掘できるようになったことにも注目しています。音楽の分野では優秀だが絵は描けないという人のなかには、独自性がある世界観を頭のなかにもっている人もいます。そのほか、例えばマンガ家をやっているけど、バッグのデザインはしたことがないという人も同様に各自の世界観はもっているので、それをブランド化できるかもしれません。小説家で絵が描けない人であれば、クリエーティブディレクターになれる可能性があるかもしれません。そういう可能性がAIによって生まれたのではないかと考えています。

4 ── 職人という価値

経営者としての考察
・職人の相対的価値が高まった

- プレゼン力よりも、実物力
- コミュニケーション能力より、デザイン力
- ものづくり系企業への投資意欲

　最後に、経営者としての考察を述べると、生成AIの出現によって相対的に価値が高まったのは職人＝作れる人です。おそらく、今後はAIが生成するデータは3Dになります。もちろん、3Dモジュールなども出てくるかもしれませんが、これを実際のもの、例えば料理やバッグにするとなったときに、最後は職人の手が必ず必要になってきます。そういう意味で、職人の相対価値がこの2年で非常に高まったと思います。

　実は、私自身も適格機関投資家として何百社というスタートアップ企業に出資をしてきていますが、投資家業界の人はいま、猫も杓子もAIに投資していて、AIバブルと言われる状態です。そんななかで、AIの発展によって、そのあとの物を作る人とか、それを利用する人の価値が相対的に上がってきたと感じています。

　それから、プレゼン力よりも実物力が重要になっているのも感じます。いままでデザイナーとして仕事を得てきた人はプレゼン力がすごく高くて、捨て案のようなものまで作ってうまくクライアントを誘導していくんです。そういう価値が相対的に下がり、デザインそのものの力が重要になりましたし、実物を作る力が重要になってきています。

　そういう意味では、クリップボードを作ってイメージを伝えることよりも、最初からその物のデザインをAIで生成してきて、「こんな感じ、どうでしょうか」と言えるようになったところが大きな違いだと思います。そういう意味では、今後はものづくり系企業への投資欲が湧いてくるんだろうとも思います。

おわりに

　まとめると、いちばんプラスに感じるのは心理的な安全性で、自由度が高まり、アンダーテーブルで何でもできるようになったということです。社内

にも8台ぐらいAIを操作できる画像系のマシンを入れているんですが、社員はみんなこっそり生成をしています。コソコソやりながら、いろいろな面白みがあるものが出てくる。企業ではこういうことが起こってきているので、より自由な空間でみんなが楽しいことを仕事にできて、そしてそれがブランドになっていくような商品がたくさん出てくるのではないかと思っています。

シンポジウム後の展開

　ここ半年を振り返ってみると、画像や動画、3Dモデルの生成は想像を超えるスピードで実現されてきました。

　text to 3Dが一般的なパソコンでも簡単にできるようになったことで、ものづくりの世界ではシンポジウム開催時よりもさらに「物を作れる人」の価値が上がってきているように感じます。画像や動画などのデジタルデータの生成から、ロボットへ組み込まれるAIへと、投資家の目線はすでに移行しています。

　産業面では、実世界の生成的解釈と、それに応じて機械を作動させるための速いコード生成が急加速すると思われます。

　TransformerやStable Diffusionなどに代表される生成AIの発展の本質は、大量のデータとトークン化によって、マルチモーダルな世界が解釈可能だと示したことです。

　今後、デジタルデータだけではなく実世界のあらゆる情報が（より簡単な形式で）センシングされ、トークン化されていくでしょう。ものづくりの世界でいうところの職人の勘、匠の技までもがセンシングされ、トークン化されたときに何が起こるか。

　スマートフォンの登場を予見できた人が少なかったように、未来はいつも思わぬ形態でやってきます。夢にみていたものが想像を超えて実現されていくのを期待している、というのが正直な気持ちです。

第8章

生成AIと日本古典籍

カラーヌワット・タリン

はじめに

　日本には数多くの古文書や古典籍が存在しています。これらは1,000年以上もの長い間、大切に保存されてきました。現在、その総数は明確にはわかっていませんが、推計で10億点から20億点にも上ると言われています。この数字には、出版された書籍だけでなく、手紙や個人の日記など、多岐にわたる文書が含まれています。一方、これら古文書を読み解くことができる人々は、日本の人口のわずか0.01パーセントにすぎません。文化遺産としての古文書の価値は高いにもかかわらず、それを享受できる人は限られているという、アンバランスな状況が浮き彫りになっています。

　海外の状況と比較してみましょう。例えば、『不思議の国のアリス』（1865年）という本があります（図1左）。これは19世紀の版で、英語で書かれています。英語が母国語ではない人でも、この本を手渡されて面白いかどうかを尋ねられれば、「面白い」「かわいい」などの感想を述べることができるでしょう。一方、図1右にあるのは日本の本で、『春色梅児誉美』（1832年）という、江戸時代の非常に有名な小説です。この19世紀の日本の本を現代の日本人に渡して感想を求めても、ほとんどの人は読むことさえできません。英語の本と日本語の本の間にはアクセシビリティに大きな違いがあります。

図1『不思議の国のアリス』と『春色梅児誉美』

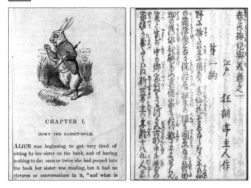

（出典：Carroll, Lewis, *Alice's adventures in wonderland*, Lovell, Coryell & Co., 1894.〔https://archive.org/details/alicesadventures00carrrich/mode/2up〕［2024年1月9日アクセス］、為永春水『春色梅児誉美』1833年、国立国語研究所蔵）

1 ── くずし字認識アプリ・みをの開発

▶翻刻とは

　AIに関する話に進む前に、翻刻（ほんこく、Transcription）という重要な作業について説明します。翻刻とは、くずし字などで書かれた古文書を、私たちが読めるように現代日本の文字に置き換える作業のことです。これは単なる翻訳とは異なり、古い文書の文字を現代の文字に「起こす」作業です。

　この作業は、くずし字を現代日本語にスワップする、つまり単に文字を置き換えるだけでいいと考えがちですが、実際にはそれほど単純ではありません。古文書や古典籍の内容を理解するには、書かれている文字を把握しないといけません。例えば、平仮名の場合は漢字から派生した文字であるため、ある文字が漢字として使われているか、平仮名として使われているかは、文脈に応じて判断しなければなりません。また、平仮名には複数の形があり、どの字母（平仮名のもとになった漢字）を使うかについても統一的なルールはありません。字形についても難しい問題があります。漢字の場合も字形の問題があります。例えば、現代日本語では「事」という文字の字形は一つですが、昔は多くの異体字があり、くずし字の書き方も様々でした（図2）。「秋」や「松」では、部首の上下や左右が変わることもよくあります。このように昔の文字はバリエーションが多く、現代の文字とはまったく異なる数

図2 漢字の様々な字形

多くの形をもっています。翻刻とは、こうした多くのバリエーションを吸収
して現代の日本語文字に変換する作業であり、機械的に処理することが難し
い部分が多々あります。

▶AIによるくずし字認識

　それでは、先ほどふれたくずし字の問題を理解したうえで、くずし字認識
システムを開発するアプローチを説明します。くずし字認識には様々な手法
があり、開発者によって異なりますが、私が主に用いているのは物体検出ア
ルゴリズムです。このアルゴリズムはオブジェクトディテクションとも呼ば
れ、画像や動画のなかで物体（オブジェクト）がどこにあり、それが何であ
るかを認識し、物体の種類とその位置を特定します。例えば、図3の写真に
は、パソコン、テーブル、椅子などが写っています。物体検出アルゴリズム
は、写真のなかで椅子などがどこにあるかを特定し、位置をバウンディング
ボックスで示します。私はこのアルゴリズムをくずし字資料に応用すること
ができるのではないかと考え、画像上で文字を認識するために物体検出アル
ゴリズムを使用しました。

　物体検出モデルを作成するには、アルゴリズムの研究だけでなく、大量の

図3 物体検出アルゴリズム

（出典：「Detected-with-YOLO--Schreibtisch-mit-Objekten.jpg」
「Wikimedia Commons」〔https://commons.wikimedia.org/wiki/
File:Detected-with-YOLO--Schreibtisch-mit-Objekten.jpg〕〔2024
年1月9日アクセス〕、DetectoRS model with ResNet 50 backbone）

学習データも必要になります。私たちの研究で使用している学習データは、
国文学研究資料館と国立国語研究所によって作成され、ROIS-DS人文学オ
ープンデータ共同利用センターによって公開されている「くずし字データセ
ット」（図4）です。このデータセットは、江戸時代の古典籍44冊から抽出
されたもので、合計6,000枚の画像のなかに約100万文字が含まれていま
す。データセットにはCSVファイルが添付されていて、各文字のユニコー
ド、バウンディングボックス情報（文字が画像上のどこに存在するかを示す座
標、つまり文字のX座標、Y座標、幅〔Width〕、高さ〔Height〕）、そして文字の
順序を示す「Char ID」が含まれています。

　物体検出アルゴリズムを用いたくずし字認識では、画像をモデルに入力
し、物体検出アルゴリズムで文字の分割と認識をおこないます。この段階で
は、どの文字がどこにあるかを特定することはできますが、文字はまだバラ
バラで文字列にはなっていません。次に、レイアウト解析として、行を認識
します。これは、1行がどこからどこまで続いているかを認識するステップ
です。認識した行をX座標にもとづき右から左へと並べ替えます。行の位置
を明確にしたうえで、最初のステップで認識した文字を行のバウンディング
ボックス内に配置します。そして、Y座標にもとづいて上から下へと並べ替

図4 くずし字データセット

江戸時代の古典籍44冊／6,151ページ／1,086,326文字／4,328文字種

Unicode	Image	X	Y	Block ID	Char ID	Width	Height
U+4E16	200003967_00004_2	1502	665	B0001	C0001	198	134
U+3005	200003967_00004_2	1574	795	B0001	C0002	55	116
U+306E	200003967_00004_2	1536	915	B0001	C0003	122	151
U+5909	200003967_00004_2	1553	1047	B0001	C0004	84	180
U+98A8	200003967_00004_2	1515	1228	B0001	C0005	155	170
U+5143	200003967_00004_2	1551	1417	B0001	C0006	70	138
U+7984	200003967_00004_2	1524	1555	B0001	C0007	135	179

Unicode, x, y, w, h
U+3029, 512, 418, 56, 47

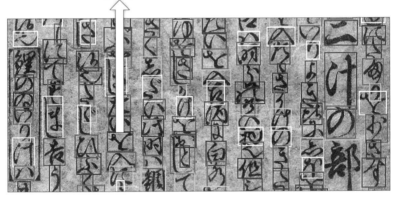

図5 物体検出の手法

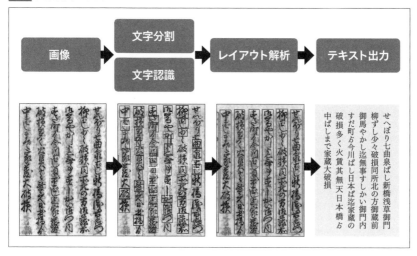

えることで、文字列（テキスト）を作ります。最後にテキストを出力します。

▶くずし字認識アプリ・みを

　物体検出アルゴリズムで開発したくずし字認識モデルをより多くの人が利用できるように、私たちはくずし字認識アプリ・みをを開発しました。このアプリは、カメラで資料を撮影し、スクリーン中央の認識ボタンをタップすることで、画像内のくずし字を認識します。このアプリはGoogleが開発したFlutterフレームワークを用いていて、2021年8月末にiOSとAndroidの両方のプラットフォームで無料公開しました。現在までのアプリのダウンロード数は15万回を超え、認識された資料画像は約200万枚（2023年12月時点）に上ります。このアプリは特に、日本文学の授業や研究の現場で広く使われていて、22年10月にはグッドデザイン賞を受賞しました。

「みを」という名前は『源氏物語』第14巻「みをつくし」に由来します。「みをつくし」は往来する舟のために水路に立てられた目印の杭を指し、人々の航行を安全に導くためのものです。この名前にちなみ、みをアプリ

図6 くずし字認識アプリ・みを

  ROIS-DS 人文学オープンデータ
共同利用センター公開

● 画像からくずし字を認識し、現代日本語文字に変換する。
  2021 年 8 月 30 日にリリース。
  現在、15万回以上ダウンロード。

● iOS 、Android両方リリースした。
  ウェブアプリとデスクトップアプリもリリース可能。

● 現在まで認識した画像の枚数は約200万枚。

 2022 年 10 月 7 日にグッドデザイン賞
（システム・サービス部門）を受賞した。

図7 miwo released version

は、くずし字資料の海を旅する人々のための案内役になることを目指しています。

　みをアプリは、くずし字認識機能だけでなく、物体検出アルゴリズムから得たバウンディングボックスを表示する機能も備えています。また、認識結果に誤りがあれば、結果を編集することも可能です。さらに、認識結果の検

討のために、より多くの文字画像を参照したい場合は、くずし字データセットを検索することもできます。最後に、テキスト出力からテキストをコピーし、ほかのアプリにペーストする機能も用意しました。

2 ― 古典籍への応用

▶生成AIとくずし字資料

　ここまで、くずし字認識の手法とくずし字認識アプリについて紹介しました。ここからはくずし字資料に生成AIをどのように応用できるかを具体的に解説します。まず、1つの書物の紹介から始めたいと思います。図8は、高力種信によって書かれた『猿猴庵随観図絵』（国立国会図書館蔵）という古

図8『猿猴庵随観図絵』の内容

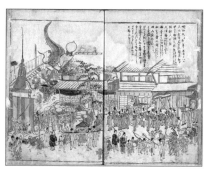

（出典：高力種信『猿猴庵随観図絵』1767-78年、国立国会図書館蔵）

典籍です。この古典籍は絵日記の形式をとっている、1767年から78年にかけて名古屋周辺で発生した様々な出来事に関する随筆です。

　注目してほしいのは、この資料に含まれる1枚の絵です（図9）。絵の上半分には赤く塗られた部分が広がっていて、何か珍しい現象を示しているようですが、その意味するところは絵だけを見ても明確ではありません。この絵

図9 1778年（推定）7月28日、名古屋周辺で起きた出来事①

（出典：同書）

図10 1778年（推定）7月28日、名古屋周辺で起きた出来事②

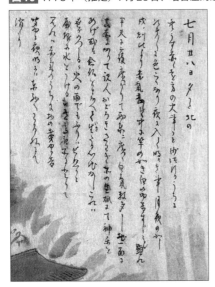

（出典：同書）

の左側には、その説明がくずし字で記されています（図10）。

　この文章を解読するにはまず、くずし字部分をくずし字認識システムに入力し、翻刻されたテキストを取得します。しかし、機械による翻刻テキストは読みにくいことが多いだけでなく、認識エラーを含む可能性があります。そのため、明らかな認識エラーを修正し、そのあとでOpenAIのGPT-4にテキストを入力して「大体の内容を要約してください」と指示します。その結果を以下に示します。

> **GPT-4による要約**：7月28日の夕方、北の空が薄く赤くなっていたため、遠くで火事があるのかと話題になりました。夜になると、その赤さは一層濃くなり、月明かりのように明るくなりました。特に戌の刻（午後8時から10時）には、赤気が非常に強く、白い線がいくつも現れ、空一面が赤くなりました。人々は驚き、神楽や念仏を唱えました。世界が終わるのか、火の雨が降るのかと心配し、屋根に水をかけました。高い場所から見ると、煮えるような音が聞こえたと言います。夜が明けると、その赤い光は東西に分かれて消えました。

　もう一度画像を見直しましょう。テキストに書かれているとおり、人々が空を指差して驚いている様子や、川から水を汲んで屋根にかけている描写があります（図11）。これは、GPT-4が出力したテキストの内容と一致してい

図11 1778年7月28日（推定）、名古屋周辺で起きた出来事③

（出典：同書）

図12 くずし字から翻刻されたテキストを現代日本語に翻訳するまでのプロセス

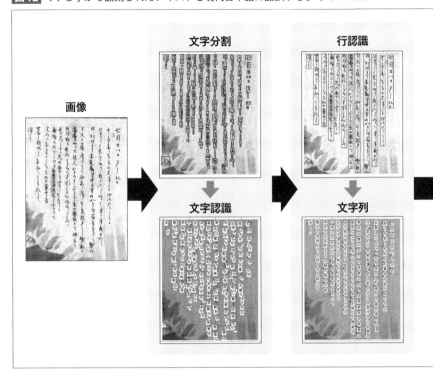

ます。

　実際に、この絵日記に描かれている現象は、赤いオーロラだとされています。赤いオーロラは日本でもまれに観測される自然現象です。この古文書に記録された内容から、18世紀に名古屋地域で赤いオーロラが観測されたことが明らかになります。

　この例でみた、くずし字から翻刻されたテキストを現代日本語に翻訳するまでのプロセスを説明します（図12）。まず、画像からくずし字で書かれた部分を抽出し、くずし字認識を実行します。次に、GPT-4にテキストを入力するために、LangChainというライブラリを利用します。LangChainの使用は必須ではありませんが、大量のデータを処理するにはとても便利です。GPT-4が実行すべきステップをテンプレート化し、翻刻されたテキストを

くずし字認識

テキスト（OCR）

七月廿八日勺し北の其うす赤ゝす遠方の火事かと沙御けるうちに此ましに色ゝなり夜に入て明けき事月夜のかし戌ノ刻此より赤気しく中に竿の如き白御ゆけすじもなれ半天に夜広がりて西東に広く白気数多し物に面に真赤になりて諸人おどろきさわぎ所の生破にて神手をあげ或は念仏をとろへて生たる心地なしこれは世がめつしるか火の雨でもふりはせかと屋根に水をかけるも有高取所にとかて見ぬは煮やか音聞ゆと夜明には東西へわかる様にて消たり

LLM（GPT-4）

要約テキスト（現代語）

7月28日の夕方、北の空が薄く赤くなっていたため、遠くで火事があるのかと話題になりました。夜になると、その赤さは一層濃くなり、月明かりのように明るくなりました。特に戌の刻（午後8時から10時）には、赤気が非常に強く、白い線がいくつも現れ、空一面が赤くなりました。人々は驚き、神楽や念仏を唱えました。世界が終わるのか、火の雨が降るのかと心配し、屋根に水をかけました。高い場所から見ると、煮えるような音が聞こえたと言います。夜が明けると、その赤い光は東西に分かれて消えました。

LangChain

大まかに要約するよう指示します。つまり、正確な翻訳よりも、「要約」として内容の大意を把握することを目指しました。

ほかの例を見てみましょう。大蔵永常『農具便利論』（1822年、国文学研究資料館蔵）という古典籍があります（図13）。この本の内容は読んでみなければわかりませんが、多くの農業道具の絵が含まれていることは見てわかります。この本の最初の5ページ、すなわち序文の部分をくずし字認識モデルに入力し、その出力テキストを以前の例と同様にGPT-4に要約させました。そして、要約だけでなく、「この古典籍を分類してください」という指示も加え、分類としては国書研究室編『国書総目録』の体系をプロンプトに加えました。『国書総目録』とは、岩波書店によって1963年から76年にかけて刊行された書籍で、古代から1867年（慶応3年）までに日本で著された

図13 大蔵永常『農具便利論』1822年、国文学研究資料館蔵

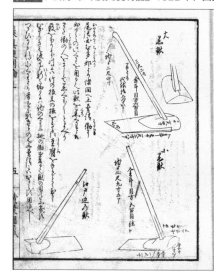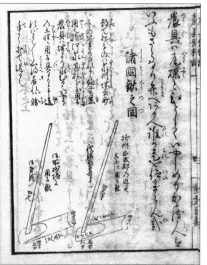

書籍の所蔵情報をまとめたものです。その要約と分類結果は以下のとおりです。

GPT-4による要約：この古文は、農業について述べている。農業は最も素朴で大切なものであり、それを学び理解するためには学問が必要だと主張している。また、農業の道具や方法は地域によって異なり、その地域に最適な方法を見つけることが重要であると説明している。それを理解するためには学問を通じて得た知識が必要であると述べている。この文は、農業と学問の重要性とその関連性を強調している。
GPT-4による分類：『国書総目録』分類：項目名：'産業'、内容：'農業'

　要約の正確性については、実際に本を読んで確認する必要がありますが、大まかな内容なら把握できるということが大変重要です。くずし字で書かれた資料は、くずし字認識システムがあっても現代の日本人にはまだ難しく、

図14『諸職雛形』1833年、国文学研究資料館蔵

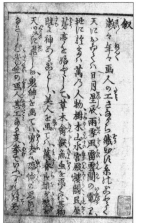

ほとんど読まれていないのが実情です。しかし、くずし字認識システムと大規模言語モデルを駆使すれば、詳細はともかくとして、古典籍に記されている内容の概要は捉えられるようになります。

　次に、『諸職雛形』（1833年、国文学研究資料館蔵）という別の古典籍を見てみましょう（図14）。この本は画集で、テキストの量は少ないですが、先ほどの例と同じ手法で序文のテキストをくずし字認識し、GPT-4による要約と分類を試みました。その結果を以下に示します。

> **GPT-4による要約**：この文章は、画家が年々自分の技術を磨き、様々なものを描き出す様子を糸を織り出すようにたとえています。天には日月星雨雪風雷、地上には人々や建物、自然など、あらゆるものが描かれています。さらに美人を描くときには美しさを神々しいものとし、鬼神を描くときには恐ろしさを感じさせると語ります。
>
> **GPT-4による分類**：『国書総目録』分類：項目名：'芸術'、内容：'芸術, 美術, 絵画, 画論, 絵本, 印刷, 工芸'

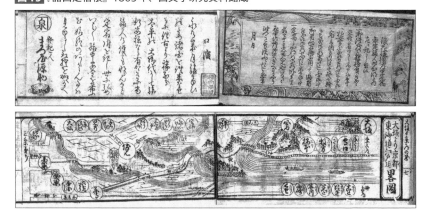

最後の例は、日本の旅行ガイドのような古典籍で、『諸国定宿帳』（1863年、国文学研究資料館蔵）という本です（図15）。この本も最初の5ページをくずし字認識し、GPT-4に要約と分類をさせました。

GPT-4による要約：この文書は、古代日本の旅行ガイドのようなもので、各地の名所や宿泊施設、道中の心得などについて詳細に説明しています。例えば、旅行者がどのような行動を取るべきか、どのような場所で休むべきか、どのような場所を訪れるべきかなどについてのアドバイスが含まれています。また、旅行者が道中で遭遇する可能性がある問題についてもふれています。
GPT-4による分類：『国書総目録』分類：項目名：'地理'、内容：'案内記'

3 ― 残された課題

くずし字認識と大規模言語モデルを組み合わせることで、確かに興味深い結果が得られます。しかし、まだ多くの課題が存在します。まず、くずし字

認識とGPT-4を用いて抽出した内容の正確性を人間が確認する必要がある
ため、この確認作業をどのように効率的におこなうかが重要です。実際に、
私が2,500件の古典籍についてこの手法を試したところ、そもそもGPT-4が
要約できない場合が約30パーセントでした。30パーセントという失敗率は
かなり高いと言えます。この実験では、「要約ができなかった場合の理由を
教えてください」という指示もプロンプトに含めましたが、その結果、失敗
の理由は以下のようになりました。

- 文脈を欠いている。
- 文節や言葉が断片的。
- 全体の意味や目的が明確ではない。
- 専門的な知識などがないと理解が難しい。

　このような失敗の原因を分析してみると、いくつかの大きな要因がみえて
きます。最も大きな要因として考えられるのは、くずし字認識の失敗です。
また、レイアウト解析に失敗すると、テキストが断片化し、全体の意味を把
握できなくなることがあります。くずし字認識モデルとレイアウト解析モデ
ルの改良によって、これらの問題はある程度解決できると思います。ただ
し、モデルの改良自体が多くの課題を含んでいて、決して簡単ではありませ

図16 くずし字資料から現代日本語の内容を生成する過程

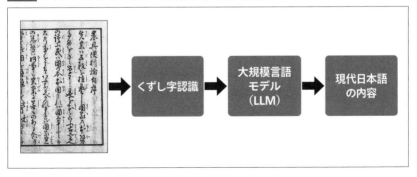

ん。

　さらに、GPT-4のような大規模言語モデルは、主に現代日本語で学習されています。古文のデータも含まれているかもしれませんが、現代日本語データの量に比べると圧倒的に少ないでしょう。GPT-4にタスクを与えると、「このテキストは古い日本語です」という説明文が出てくることがよくあります。モデルはテキストが古い日本語であることは認識していますが、古文の文法や語意を正確に理解しているわけではありません。要約を試みる際、モデルはテキスト中の漢字を組み合わせて、日本語らしい文章を生成する傾向があります。しかし、物語など平仮名が多用されるテキストに対しては、要約に失敗する可能性が高くなります。

おわりに

　本章では、大規模言語モデルを日本の古典籍に適用する試みについて紹介しました。くずし字認識と大規模言語モデルを組み合わせた実験を通じて、多くの興味深い成果を得られたこと、そしてこの技術が日本古典籍でどのように活用されうるかの可能性がみえてきました。しかし、同時に多くの課題も残されています。今後は、くずし字資料をより手軽に、誰もが楽しめるシステムを構築したいと考えています。

第3部

生成 AI と法

第9章

LLMの法的課題

宍戸常寿

　本書はここまで生成AIによって広がる未来の可能性について主に論じてきましたが、本章では生成AIが抱えている法的な課題について紹介します。まずG7広島AIプロセスというAIをめぐる国際的議論とG7各国のAIへの法的な対応について検討したOECD報告書を紹介したうえで、生成AIや大規模言語モデル（Large Language Model。以下、LLMと略記）に関する法的な課題をいくつか取り上げます。最も大きな論点は著作権ですが、これについては第10章「生成AIと著作権」（奥邨弘司）で詳しく取り上げます。最後に、AI開発者、特に基盤モデルの透明性確保と、社会的リスクの評価を求める傾向について紹介します。

1 ── G7広島AIプロセスの現状

　図1は、2023年9月7日に開催された広島AIプロセス閣僚級会合の概要をまとめた政府資料です。この資料では現在の基盤モデル、あるいは生成AIを「高度なAIシステム」と呼び、その登場によって生じた法的な課題やリスクとして、透明性、偽情報、知的財産権、プライバシーなどがあるということを確認しています。それらに対してEU（ヨーロッパ連合）はAI規則を作ろうとしている一方、アメリカはホワイトハウス主導で民間企業のコミットメントを得ようとしています。こういった状況のなかで、高度なAIシステムに関する国際的な指針や行動規範をG7各国で作り、それを横展開していこうという動きがあります。また、LLMにもとづく生成AIで特に懸念さ

図1 G7広島AIプロセス 閣僚級会合の概要

G7広島AIプロセス　閣僚級会合の概要

資料1−1

開催日程	令和5年9月7日（木）20:00～21:00（オンライン開催）
参加国等	・議長として松本総務大臣が参加。 ・G7各国（加、仏、独、伊、米、英）、EU、国際機関（OECD、GPAI）が参加。
主な成果	

◆ 本会合の結果、G7広島AIプロセスの中間的な成果として、「**G7広島AIプロセス G7デジタル・技術閣僚声明**」を採択。

◆ 閣僚声明において**以下の項目について合意**。

○**OECDレポートに基づく優先的な課題、リスク及び機会に関する理解**

➤ G7共通の優先的な課題・リスクとして、透明性、偽情報、知的財産権、プライバシーと個人情報保護、公正性、セキュリティと安全性等が例示。また、機会として、生産性向上、イノベーション促進、ヘルスケア改善、気候危機の解決への貢献等が例示。

○**高度なAIシステム**（基盤モデルや生成AIを含む。以下同じ。）**に関する国際的な指針（guiding principles）及び行動規範（code of conduct）**

➤ 高度なAIシステム技術の進歩に鑑み、**AI開発者を対象とする国際的な行動規範の策定が国際社会の喫緊の課題の1つ**であることを認識。AI開発者を対象とする行動規範を策定する基礎として、以下の項目で構成される指針の骨子を策定。**AI開発者を対象とする指針と行動規範のG7首脳への提示を目指す。**

➤ 年内に、**開発者を含む全てのAI関係者向けの国際的な指針を策定。**

- ・高度AIシステムの適切な安全対策及び導入前の社会的リスクの考慮
- ・高度AIシステム導入後の脆弱性の特定と低減に向けた努力
- ・モデルの能力、限界、適切・不適切な利用領域の公表
- ・AI開発者と政府、市民社会、学界との間での責任ある情報共有
- ・プライバシーポリシー及びガバナンスポリシーのリスク管理計画及び低減手法の開発及び開示
- ・サイバーセキュリティ及びインサイダー脅威対策を含む強固なセキュリティ管理措置への投資
- ・電子透かし技術等のAIが生成したコンテンツを利用者が識別できる仕組みの開発及び導入
- ・社会、環境、安全のリスクを軽減するための研究・投資の優先的な実施
- ・気候危機等の世界最大の課題に対処するための高度なAIシステムの優先的な開発
- ・国際的に認知された技術標準の開発及び整合性確保の推進

○**偽情報対策に資する研究の促進等のプロジェクトベースの協力**

➤ OECD、GPAI、UNESCO等の国際機関と協力し、AIによって生成された偽情報を識別するための最先端の技術的能力に関する研究の促進等、プロジェクトベースの取組を推進することを計画。

○上記の取組を進めるに当たっては、**幅広いマルチステークホルダーの意見を採り入れることに合意。**

（出典：「内閣府」〔https://www8.cao.go.jp/cstp/ai/ai_senryaku/5kai/kakuryoukyuu.pdf〕〔2024年1月9日アクセス〕）

れる課題として、偽情報対策が大きくクローズアップされていることも見逃せません。

2 ── OECD報告書

　G7広島AIサミットのプロセスの基礎になっているのが、OECDのペーパーです。ぜひ読んでほしいのですが、ここではエグゼクティブサマリーに示されている認識を一つ示します。G7としては、生成AIの責任ある利用と関係する事項のなかで、特に偽情報、知的財産権、それから生成AIのガバナンスが共通の関心事のトップであり、それ以外にもプライバシー、透明性、公平性などの論点も挙げています。

さらに、法律の研究者としては興味深いことに、生成AIの規制や社会全体でのガバナンスの課題を挙げています。予測がつかないこと（Unpredictability）、適応性（Adaptivity）を課題に挙げていますが、ファインチューニングなどによってモデルの開発者にもわからない挙動をする可能性があるといういわゆるAIの自律性、それから多目的で使われる性質も挙げています。また、これは生成AIにかぎらないと思いますが、透明性が欠如しているという指摘があります。さらに、誤情報・偽情報の問題が、外国勢力によるキャンペーンに利用されることも含めて、注意喚起しています。加えて、データが非常に大量であることも規制に困難を投げかけるとしています。これらがAIをめぐる法的課題の中心的な問題の所在として、OECDのペーパーが認識しているものです。

3 ── 個人情報保護

　ここから、日本での生成AIをめぐる法的な課題への対応の現状について手短にみていきましょう。結論から言うと、まだあまり対応できていません。まずは個人情報の問題から取り上げます。個人情報保護法は、特定の個人を識別できる情報を「個人情報」として、個人情報を取り扱う事業者や行政機関などは、その情報を何のために使うのかという利用目的をあらかじめ特定し、その利用目的の範囲内で個人情報を使う、ということを規律の基本としています。実際には、民間部門と公的部門（国の行政機関や地方公共団体など）の2本立てのルール体系ですが、利用目的を特定して、責任をもって個人情報を取り扱うという根幹の部分は共通しています。このような個人情報保護法が、必ずしも "AI ready" な法体系でないことによる問題は、様々な局面で出てきます。例えばAIを賢くするために、既存の事業者などが保有している、利用目的が特定された個人データをAIの学習のために使っていいかというと、これは利用目的を特定している以上問題があります。また、AIに対して指示するプロンプト、あるいはAIのアウトプットのなかに、特定の個人を識別できる情報が入っていれば、それには個人情報保護法が適用されるので、AIの運用に関わる人は利用目的の特定をしなければいけないということになります。

図2 G7 HIROSHIMA PROCESS ON GENERATIVE ARTIFICIAL INTELLIGENCE（AI）

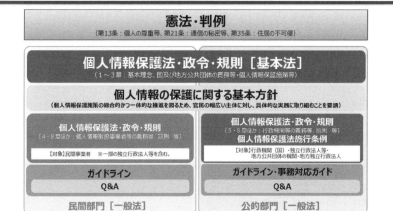

OECD" G7 HIROSHIMA PROCESS ON GENERATIVE ARTIFICIAL INTELLIGENCE (AI)"

SPECIFIC CHARACTERISTICS OF GENERATIVE AI THAT CHALLENGE REGULATION / GOVERNANCE

- Unpredictability, adaptivity, autonomy, and multi-purpose nature of generative AI
- Lack of transparency
- Misinformation and disinformation (including foreign disinformation campaigns)
- Vast amounts of data pose regulatory challenges

OECD*publishing*

G7 HIROSHIMA PROCESS ON GENERATIVE ARTIFICIAL INTELLIGENCE (AI)
TOWARDS A G7 COMMON UNDERSTANDING ON GENERATIVE AI

REPORT PREPARED FOR THE 2023 JAPANESE G7 PRESIDENCY AND THE G7 DIGITAL AND TECH WORKING GROUP

7 September 2023

https://www.oecdilibrary.org/scienceand-technology/g7-hiroshima-process-on-generative-artificial-intelligenceai_bf3c0c60-en

4

（出典：「OECD」〔https://www.oecd-ilibrary.org/science-and-technology/g7-hiroshima-process-on-generative-artificial-intelligence-ai_bf3c0c60-en〕〔2024年1月9日アクセス〕）

図3 個人情報保護法──"AI ready?"

1-10．個人情報保護法制の全体イメージ

憲法・判例
（第13条：個人の尊重等、第21条：通信の秘密等、第35条：住居の不可侵）

個人情報保護法・政令・規則［基本法］
（1～3章：基本理念、国及び地方公共団体の責務等・個人情報保護施策等）

個人情報の保護に関する基本方針
（個人情報保護施策の総合的かつ一体的な推進を図るため、官民の幅広い主体に対し、具体的な実践に取り組むことを要請）

個人情報保護法・政令・規則 （4・8章ほか：個人情報取扱事業者等の義務等、罰則 等） 【対象】民間事業者 ※一部の独立行政法人等を含む。	個人情報保護法・政令・規則 （5・8章ほか：行政機関等の義務等、前則 等） 個人情報保護法施行条例 【対象】行政機関（国）・独立行政法人等・ 地方公共団体の機関・地方独立行政法人
ガイドライン Q&A	ガイドライン・事務対応ガイド Q&A
民間部門［一般法］	公的部門［一般法］

（出典：「個人情報保護法の概要（地方公共団体職員向け）」「個人情報保護委員会」〔https://www.ppc.go.jp/files/pdf/r3_gaiyou_2304.pdf〕〔2024年1月9日アクセス〕）

図4 個人情報保護委員会「生成AIサービスの利用に関する注意喚起等」の一般利用者向けの留意点

（3）一般の利用者における留意点

①生成AIサービスでは、入力された個人情報が、生成AIの機械学習に利用されることがあり、他の情報と統計的に結びついた上で、また、正確又は不正確な内容で、生成AIサービスから出力されるリスクがある。そのため、生成AIサービスに個人情報を入力等する際には、このようなリスクを踏まえた上で適切に判断すること。
②生成AIサービスでは、入力されたプロンプトに対する応答結果に不正確な内容が含まれることがある。例えば、生成AIサービスの中には、応答結果として自然な文章を出力することができるものもあるが、当該文章は確率的な相関関係に基づいて生成されるため、その応答結果には不正確な内容の個人情報が含まれるリスクがある。そのため、生成AIサービスを利用して個人情報を取り扱う際には、このようなリスクを踏まえた上で適切に判断すること。
③生成AIサービスの利用者においては、生成AIサービスを提供する事業者の利用規約やプライバシーポリシー等を十分に確認し、入力する情報の内容等を踏まえ、生成AIサービスの利用について適切に判断すること。

（出典：「生成AIサービスの利用に関する注意喚起等」「個人情報保護委員会」〔https://www.ppc.go.jp/files/pdf/230602_alert_generative_AI_service.pdf〕〔2024年1月9日アクセス〕）

　個人情報保護委員会は、2023年6月2日に「生成AIサービスの利用に関する注意喚起等[(3)]」を出しています。民間部門と公的部門への説明が別々になっていますが、基本は同じです。まず大きな要請として、事業者も行政機関なども、個人情報を含むプロンプトを入力する場合には、特定された個人情報の利用目的の範囲内で使うようにということがあります。また2番目に、外部の生成AIサービス、例えばChatGPTを使う場合に、入力したプロンプトのなかに個人情報が含まれていて、それがAIサービスの側に学習データとして使われると、入力した事業者ないし行政機関にとっては利用目的の範囲外になるから、そのようなことが起こらないよう確認することを求めています。

　個人情報保護委員会の注意喚起のなかで、重大な論点が隠されているのは、図4に示した「(3)一般の利用者における留意点」の項目です。個人情報保護法の規律の対象になる事業者や行政機関に対しては「注意点」、一般の利用者には「留意点」という言葉を使っていますが、この差分をAIが正しく見抜けるのかという問題も興味があるところです。個人情報保護法はあ

くまで個人情報を取り扱う事業者や行政機関に義務を課すルールの体系です。一般のユーザーは、そもそも個人情報保護法の義務の対象ではなく、個人情報保護委員会が注意をする相手ではないはずです。そうであるにもかかわらず、個人情報保護委員会が一般の利用者に対してまで、生成AIに個人情報を含むプロンプトを打ち込むと正確または不正確な出力があるので、それを踏まえたうえで利用するようにだとか、応答結果に不正確な内容の個人情報が含まれるリスクがあるだとかいった注意喚起をおこなったというのが興味深いところです。つまり、AIによって起きる問題の全体を捉えようとした場合には、個人情報保護法が事業者規制法であることを超えて、AIの開発者やAIを利用する事業者だけではなく、私たち普通の市民のAI利用にまで手を伸ばさなければいけないのです。この「注意喚起」は、ある意味では個人情報保護法の限界を示しているわけです。

4 ── 政府の利用とセキュリティー

　次に、政府の情報セキュリティーに関連して、「ChatGPT等の生成AIの業務利用に関する申合せ」の第2版を用意中であることが、政府のAI戦略会議のウェブサイトで公表されています。ここでは、ChatGPTに代表される約款型クラウドサービスには機密情報を入力してはいけないということを明記しています。また、約款型クラウドサービスでない、例えばチャットボットなどを使ってやりとりするために、自治体がサービスの提供を受けている場合には、適切なリスク分析をおこなったうえで機密性2の情報まで利用可能だが、サービスで生成AIを利用していることを明示して責任を明確化し、学習に利用するデータや入力されるプロンプト、出力結果の社会的影響にかかるリスク評価を実施するようにという要請も示されています。政府としては生成AIを利用していく方向性ではあるわけですが、さらに情報セキュリティー、あるいは後述する社会的影響にかかるリスクの評価が求められていくだろうと思います。

5 ── プライバシーと差別

> **プライバシー**
> ・人格的な権利利益として不法行為法による保護、差し止め
> ・プライバシーの4類型（William Prosser）
> 1. Intrusion into a person's private space, own affairs, or wish for solitude
> 2. Public disclosure of personal information about a person which could be embarrassing for them to have revealed
> 3. Promoting access to information about a person which could lead the public to have incorrect beliefs about them
> 4. Encroaching someone's personality rights, and using their likeness to advance interests which are not their own
> ・生成AIを使ったプライバシー侵害 [6]

　法的な論点の具体例の3番目として、プライバシーについて紹介します。個人情報とプライバシーは同じものかがよく問題になりますが、ここでは、プライバシーとは私人間あるいは公権力によって侵害された場合に損害賠償を求める、また、侵害がおこなわれたりおこなわれそうになったりしたときにその排除あるいは予防を求める人格的な権利利益であり、事業者や行政機関を事前に監督する個人情報保護法の体系とは異なる部分がある、という程度の説明にとどめます。このプライバシーが問題になる場面の典型が、マスメディアが芸能人の私的な事柄を公開して傷つけた場合に損害賠償を請求されるというものです。それ以外にもプライバシーが問題にされてきた場面は様々あり、前記は1960年に発表された有名な論文で示された4つの分類です。1番目が私的な領域への介入、2番目が私事の公開です。3番目は不正確な事実あるいは本当ではないことをあたかも本当であるかのように誤認させることで、例えばモデル小説によるプライバシー侵害がこれに当たります。4番目には氏名や肖像をその人が意図したのとは違う目的で使う、「冒用」

が挙げられています。生成AIを使ったプライバシー侵害としては、3番目の誤認、4番目の冒用が、今後非常に大きな問題群として立ち現れてくるだろうと思います。特に、画像でも言葉でも、プライバシーに関していかにももっともらしい嘘をついて人を傷つけることが可能になることが今後課題になるでしょう。

差別
・憲法第14条第1項：合理的な別異取り扱いかどうか
・包括的な差別禁止法などの欠如
・個人情報保護法上の要配慮個人情報の規律
・学習データ／基盤モデル／適応／利用の各段階での差別

　もう一つの法的な問題群として、差別の問題があります。人と人を均等に扱わなければいけない、人を異なって取り扱う場合にはそれに合理的な根拠がなければいけないというのが、法の下の平等の要請です。包括的な差別禁止法をもっている国では、それをいわばファインチューニングして、結婚や就職に関する差別など、AIによる差別に対応することができるかもしれません。また、非常に大きな人種差別の問題を抱えているアメリカでは判例や法の大きな体系がありますので、画像認識AIによる差別が問題になるのはこの人種差別と関連しています。他方、日本にはこのように包括的な差別禁止法がないので、AIによる差別を防ぐために、AIの学習データ、あるいは入力プロンプト、あるいは出力などの差別が生まれる前の段階で、不当な差別につながりうるセンシティブな情報、要配慮個人情報を含めることを禁じる規律をかけたいという議論があります。逆に言えば、これは情報の段階でAIの判断や、それにもとづく人に対する何らかの決定を規律することになります。ここには、現実に差別が生じる前に、差別につながるような情報の取り扱いを規律するという形式で、AIの研究開発あるいは利用に制限をかけることが適切かどうかという問題が浮上します。

図5 EU偽情報に関する行動規範者向けの留意点

（出典：「Discover the Code of Practice on Disinformation」「Transparency Centre」〔https://disinfocode. eu/〕〔2024年1月9日アクセス〕）

6 — AI開発者、特に基盤モデルの 透明性確保とリスク評価

　最後の問題群である、偽情報について説明します。これに関しては、EUがかなり先駆的な取り組みを進めていて、AIを使った偽情報の流通を妨げるためソーシャルメディア事業者などに、行動規範に賛同して透明性を確保するように求め、さらに大規模事業者には透明性をより強く求める義務をデジタルサービス法で課しています。具体的には、ポリシーを策定し、そのポリシーにもとづいて実施していることをTransparency Centreに提出させ、その全文を公開しています。

　アメリカでは、ホワイトハウスがAI企業（最初は7企業、そのあとさらに8企業が追加された）に対して、諸原則にコミットすることを求めています。安全やセキュリティーを守るというのが基本ですが、公衆の信頼を築くために、例えば生成AIのコンテンツに対してはウォーターマークを出すようなシステムを開発すること、AIを開発した企業は何が適切／不適切な利用に当たるのかの判断基準を公にすること、AIシステムの利用による社会的なリスクの研究を深めるなどの議論が、アメリカでも進んできていることが見て取れます。

図6 ホワイトハウスとAI企業のコミットメント

Ensuring Products are Safe Before Introducing Them to the Public

- The companies commit to internal and external security testing of their AI systems before their release. This testing, which will be carried out in part by independent experts, guards against some of the most significant sources of AI risks, such as biosecurity and cybersecurity, as well as its broader societal effects.

- The companies commit to sharing information across the industry and with governments, civil society, and academia on managing AI risks. This includes best practices for safety, information on attempts to circumvent safeguards, and technical collaboration.

Building Systems that Put Security First

- The companies commit to investing in cybersecurity and insider threat safeguards to protect proprietary and unreleased model weights. These model weights are the most essential part of an AI system, and the companies agree that it is vital that the model weights be released only when intended and when security risks are considered.

- The companies commit to facilitating third-party discovery and reporting of vulnerabilities in their AI systems. Some issues may persist even after an AI system is released and a robust reporting mechanism enables them to be found and fixed quickly.

Earning the Public's Trust

- The companies commit to developing robust technical mechanisms to ensure that users know when content is AI-generated, such as a watermarking system. This action enables creativity and productivity with AI to flourish but reduces the dangers of fraud and deception.

- The companies commit to publicly reporting their AI systems' capabilities, limitations, and areas of appropriate and inappropriate use. These reports will cover both security risks and societal risks, such as the effects on fairness and bias.

- The companies commit to prioritizing research on the societal risks that AI systems can pose, including on avoiding harmful bias and discrimination, and protecting privacy. The track record of AI shows the potential magnitude and prevalence of these dangers, and the companies commit to rolling out AI that mitigates them.

- The companies commit to develop and deploy advanced AI systems to help address society's greatest challenges. From cancer prevention to mitigating climate change to so much in between, AI—if properly managed—can contribute enormously to the prosperity, equality, and security of all.

（出典：「FACT SHEET: Biden-Harris Administration Secures Voluntary Commitments from Eight Additional Artificial Intelligence Companies to Manage the Risks Posed by AI」「The White House」〔https://www.whitehouse.gov/briefing-room/statements-releases/2023/09/12/fact-sheet-biden-harris-administration-secures-voluntary-commitments-from-eight-additional-artificial-intelligence-companies-to-manage-the-risks-posed-by-ai/〕〔2024年1月9日アクセス〕）

図7 EU議会によるAI規則案修正提案

Obligations for general purpose AI

Providers of foundation models - a new and fast-evolving development in the field of AI - would have to assess and mitigate possible risks (to health, safety, fundamental rights, the environment, democracy and rule of law) and register their models in the EU database before their release on the EU market. Generative AI systems based on such models, like ChatGPT, would have to comply with transparency requirements (disclosing that the content was AI-generated, also helping distinguish so-called deep-fake images from real ones) and ensure safeguards against generating illegal content. Detailed summaries of the copyrighted data used for their training would also have to be made publicly available.

（出典：「MEPs ready to negotiate first-ever rules for safe and transparent AI」「European Parliament」〔https://www.europarl.europa.eu/news/en/press-room/20230609IPR96212/meps-ready-to-negotiate-first-ever-rules-for-safe-and-transparent-ai〕〔2024年1月9日アクセス〕）

さらにEU議会によるAI規則案の修正提案のなかには、「基盤モデルについて様々な社会的リスクを事前に評価して緩和するための措置をとるべきだ」「EUのデータベースに登録するべきだ」「生成AIについて透明性の義務を課すべきだ」「著作権で保護された学習用データについて詳細なサマリーを出すように」などの内容が含まれています。

> **まとめ**
> ・大規模言語モデルの問題
> ・生成AIの問題
> ・AIの問題
> ・開発者、企業や政府機関などの利用者、一般利用者それぞれの規律と全体のガバナンス
> ・制度の国際的調和と相互運用可能性

以上をまとめます。ここまでみてきた論点のなかには、LLM特有の問題もあれば、画像を含む生成AIの問題、あるいはAI一般の問題など様々なものが含まれています。LLMの登場によって、AI一般に対して言われてきた問題(7)が広く現実化して、政府や各国政府間で大騒ぎになっているというのが現状です。全体を通じて、開発者はもちろん、企業や政府機関などの利用者、そして私たち一般市民というそれぞれの利用者にどのように規律を課すかを検討するという困難もみえてきています。いずれにしても全体のガバナンス構築、またG7の議論からもわかるとおり、制度の国際的な調和と相互運用の可能性はまだまだ道半ばです。

シンポジウム後の展開

本章は2023年9月14日時点の動向を概観したものですが、その後の動向を踏まえて報告内容について最低限の補足をしておきます。
・「ChatGPT等の生成AIの業務利用に関する申合せ（第2版）」は2023年9

月15日付で取りまとめられています[8]。

・EU議会とEU委員会は2023年12月にEU規則案の内容について合意に達しています[9]。

・G7広島AIプロセスは2023年12月1日に「全てのAI関係者向けの広島プロセス国際指針」「高度なAIシステムを開発する組織向けの広島プロセス国際指針」「高度なAIシステムを開発する組織向けの広島プロセス国際行動規範」を策定しました[10]。これを受けて総務省・経済産業省は、24年4月、「AI事業者ガイドライン（第1.0版）」を作成・公表しました[11]。

注

（ 1 ）「G7 Hiroshima Process on Generative Artificial Intelligence（AI）: Towards a G7 Common Understanding on Generative AI」「OECD」（https://www.oecd.org/digital/g7-hiroshima-process-on-generative-artificial-intelligence-ai-bf3c0c60-en.htm）〔2024年1月9日アクセス〕

（ 2 ）宍戸常寿「個人情報保護法制とデータガバナンス」「人工知能」第37巻第5号、人工知能学会、2022年

（ 3 ）「生成AIサービスの利用に関する注意喚起等」「個人情報保護委員会」（https://www.ppc.go.jp/files/pdf/230602_alert_generative_AI_service.pdf）〔2024年1月9日アクセス〕

（ 4 ）「ChatGPT等の生成AIの業務利用に関する申合せ（第2版）（案）」「内閣府」（https://www8.cao.go.jp/cstp/ai/ai_senryaku/5kai/moushiawase.pdf）〔2024年1月9日アクセス〕

（ 5 ）機密性2とは、総務省が情報セキュリティー保護のために定める情報資産の格付けの一つであり、「行政事務で取り扱う情報のうち、秘密文書に相当する機密性は要しないが、漏えいにより、国民の権利が侵害され又は行政事務の遂行に支障を及ぼすおそれがある情報」を指す。「政府機関の情報セキュリティ対策のための統一管理基準」「総務省」（https://www.soumu.go.jp/main_content/000141664.pdf）〔2024年1月9日アクセス〕

（ 6 ）William Prosser, "Privacy," *California Law Review*, 48(3), 1960.

（ 7 ）宍戸常寿／大屋雄裕／小塚荘一郎／佐藤一郎編著『AIと社会と法──パラダイムシフトは起きるか?』有斐閣、2020年

（ 8 ）「ChatGPT等の生成AIの業務利用に関する申合せ（第2版）」「内閣府」（https://www.digital.go.jp/assets/contents/node/basic_page/field_ref_resources/c64badc7-6f43-406a-b6ed-63f91e0bc7cf/e2fe5e16/20230915_meeting_executive_outline_03.pdf）〔2024年1月9日アクセス〕

（9）「EU AI Act: first regulation on artificial intelligence」「European Parliament」（https://www.europarl.europa.eu/news/en/headlines/society/20230601STO93804/eu-ai-act-first-regulation-on-artificial-intelligence）［2024年1月9日アクセス］

（10）「成果文書」「広島AIプロセス」（https://www.soumu.go.jp/hiroshimaaiprocess/documents.html）［2024年1月9日アクセス］

（11）「AI戦略会議 第8回」「内閣府」（https://www8.cao.go.jp/cstp/ai/ai_senryaku/8kai/8kai.html）［2024年4月22日アクセス］

第**10**章

生成AIと著作権

奥邨弘司

はじめに

　本章では、生成AIと著作権の関係について、大きく3点検討したいと思います。具体的には、「AIが生成した表現の著作物性」「機械学習と著作権」「生成表現と著作権侵害」の3点です。

　なお、最初にお断りしておきたいのですが、法律解釈をするうえでは、法律、判例、学説の3点セットが重要になります。しかしながら、残念なことに本章でお話しするテーマについては、基本的には判例が欠けています。したがって、解釈の確度・精度が落ちてしまうことをあらかじめご了承ください。

　また、生成AIは新しい問題で、現在様々に議論されている段階ですので、いろいろな説があります。そのすべてをお話しすることはできませんので、代表的なものや私自身の考え方を中心にお話しします。

1 ── AIが生成した表現の著作物性

▶基本的な考え方

　1点目は、AIが生成した画像や文章、音楽、動画などの各種の表現が著作権で保護されるか、つまり著作物に当たるか否かを考えてみます。

出発点として、AIではなくて人間が創作した表現は、どういう場合に著作物となるかを確認します。これについては、著作権法に定めがあって、「思想又は感情を創作的に表現したものであつて、文芸、学術、美術又は音楽の範囲に属するもの」（著作権法第2条第1項第1号）が著作物と定義されています。この要件は、大まかには3つに分解できます。まず、第1要件として、思想または感情の表現であること。第2要件として、表現が創作的（＝創作性がある）であること。そして、第3要件として、表現が、文芸、学術、美術または音楽の範囲に属すること。この3つです。

　AIが生成した表現（以下、AI生成表現と略記）が著作物になるかどうかも、この3要件をすべて満たすかどうかで判断されます。ここで重要なことは、この3要件のうち第1要件と第2要件は、人間が表現を創作することを前提にしていることです。すなわち、第1要件にいう「思想または感情」とは、人間の精神作用の成果を指すと解釈されています。また、第2要件の創作性も、個性、つまり人間の人格の発露と理解されています。そのため、表現の創作に人間が寄与せずAIが自律的に表現を生成した場合は、人間の精神作用＝「思想または感情」に欠けますし、人間の人格の発露＝「創作性」にも欠けますので、第1要件と第2要件を満たさず、著作物にはならないということになります。

　一方、AI生成表現であっても、人間による創作的な寄与がある場合、つまり人間がAIを道具として用いて表現を創作したと言える場合は、AIを使わない通常の創作の場合と同様に、3要件を満たせば著作物になります。

　このように、創作的寄与がないとされると著作物にはならないわけですから、AI生成表現の著作物性を考えるうえでは、創作的な寄与があるかどうかが鍵になります。では、どのような場合に創作的寄与があると言えるのでしょうか。

　例えば、現状の生成AIを使って表現を生成する場合における人間の関与として典型的なものを挙げれば、①簡単かつ短いプロンプトを入力、②詳細かつ長いプロンプトを入力、③プロンプト自体の長さや構成要素を複数回試行錯誤、④同じプロンプトを何度も入力して複数の表現を生成し、そのなかから好みの表現をピックアップ、⑤AIが生成した表現に人間が加筆・修正、あたりになるでしょう。⁽¹⁾

図1 AI生成表現の著作物性

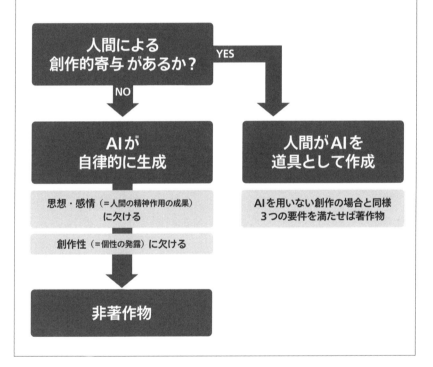

図2 「創作的寄与」をおこなったと言えるか？

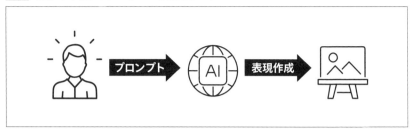

　①から⑤のうち、どれだったら創作的寄与があると言えるのかですが、正直なところ、日本にはまだ裁判例がありません。そのため、確定的なことは言えないのが現状です。一方、アメリカには、1件の裁判例と数件の著作権局の判断——こちらは、裁判所の判決ではなくて、著作権局という役所の判断になりますので、権威は少し落ちます——が存在しますので、そちらをみて日本でどう考えるかの参考にしたいと思います。

▶アメリカの例

　図3の画像は、あるAIが自律的に、つまり人間の創作的な寄与なく生成したものです。このAIの開発者であるスティーブン・ターラー博士は、2018年に絵画作品 "A Recent Entrance to Paradise"（楽園への新しい入り口）を著作権局に登録のために出願しました。その際、出願書類には「著作者：創作機械」「コンピューターアルゴリズムを実行する機械によって自動的に生成された」と記載して、この機械（AI）の所有者である自身に著作権を登録するように求めました。

　これに対して著作権局は、人間が創作していないとして著作権登録を拒絶しました。ターラー博士は、著作権局に再審査を2度請求しましたが、いずれも結論は同じだったので、著作権局の決定を不服としてワシントンD.C.連邦地裁に提訴したわけです。しかし、裁判所も結論は同じで、人間が関与していない以上は著作物とは認められないと判断しました。(2)

　実はアメリカでも、AI生成表現の著作物性について判断した裁判例は、いまのところこの1件だけです。さらに、地裁の判断ですので、あくまでも参考です。今後、似たような訴訟や判決は複数出ると思います。なかには、

地裁の判決では不服で、控訴裁判所、最高裁判所と、より上級の裁判所の判断を仰ぐ事例も出てくると思います。確定的なことは、そのときになるまでわかりません。ただ、1件でも裁判例があるのは、ゼロ件の日本からすれば参考になるわけです。

　図4はクリス・カシュタノバ氏が、画像生成AIであるMidjourneyを利用して作成したマンガ作品 "Zarya of the Dawn"（暁のZarya）の一部です。

　カシュタノバ氏は、このマンガ作品について、著作権登録の出願をしました。なお、出願書類には、AIを使用したことは記載していませんでした。そのため、著作権局の審査では特に問題になることもなく登録が認められたのですが、登録後にカシュタノバ氏がSNS（交流サイト）で「AIを使用して制作した作品が登録された」と投稿していることが著作権局の知るところになります。著作権局は、カシュタノバ氏に、制作状況の補足説明を求めました。その結果、画像についてはMidjourneyを利用して生成したこと、台詞などの文章はカシュタノバ氏自身が創作したこと、画像と台詞などのレイアウトもカシュタノバ氏自身がおこなったことがわかりました。

図3 A Recent Entrance to Paradise

（出典：Steven〔Stephen〕Thaler, "A Recent Entrance to Paradise", Thaler v. Perlmutter, 2023 U.S.Dist. LEXIS 145823.）

図4 Zarya of the Dawn

（出典：Kristina Kashtanova, "Zarya of the Dawn", U.S. Copyright Office, *Cancellation Decision re: Zarya of the Dawn*〔*Registration #VAu001480196*〕.〔https://www.copyright.gov/docs/zarya-of-the-dawn.pdf〕〔2024年4月26日アクセス〕）

　著作権局は、文章とレイアウトについては、通常の場合と変わらないとして著作物だと認めましたが、画像については著作物には当たらないとしました。理由としては、以下のとおりです。

　人間が創作したと言えなければ著作物に該当しない。著作物であるためには、最終的に生成された表現とその生成過程を人間が統御していること、つまり人間が表現生成過程の「黒幕（mastermind）」でなければならない。しかし、Midjourneyで画像を生成する場合、プロンプトの入力の結果出力される画像を十分には予測できない。つまり、ユーザーの指示と生成画像の間には相当な距離が存在し、ユーザーは「黒幕」とはなりえていない。よって、画像は人間が創作したとは言えず、著作物にはならない。このように判断したわけです。

　図5は、ジェイソン・アレン氏の作品であり、コロラド州祭の2022年度美術コンテストで1位を勝ち取りましたが、実はMidjourneyを使って生成

した作品だったということで、物議を醸しました。

　アレン氏は、この作品について著作権登録の出願をしましたが、著作権局は認めませんでした。登録を認めなかった理由は、基本的にカシュタノバ氏のケースと同じです。アレン氏のケースで注目されるのは、アレン氏はプロンプトを入力して作品を出力し、それを修正してまた出力するということを600回以上繰り返して、最終的な画像を得たと主張しましたが、それでも十分ではないとされたことです。

　なお、図5のなかには、アレン氏がPhotoshopを使って手作業で修正した部分もあるそうです。著作権局はその部分を特定すれば、その部分に限っては著作物として保護され登録される可能性があると示唆しましたが、特定がなされなかったため、作品全体の登録が否定されました。[4]

　ここで、一点補足しておきたいと思います。著作物かどうかは、いわゆる作品単位でまとめて判断するわけではありません。作品を構成する表現のまとまり単位で判断します。これは日本でもアメリカでも同じです。

　ターラー博士が著作権登録しようと試みた図3のような画像の場合は、

図5 Théâtre D'opéra Spatial

（出典：Jason M. Allen, "Théâtre D'opéra Spatial", U.S. Copyright Office, *Second Request for Reconsideration for Refusal to Register Théâtre D'opéra Spatial*〔*SR # 1-11743923581; Correspondence ID: 1-5T5320R*〕.〔https://www.copyright.gov/rulings-filings/review-board/docs/Theatre-Dopera-Spatial.pdf〕〔2024年4月26日アクセス〕）

100パーセントAIが自律的に生成したわけですから、画像中の表現のどの部分をとっても人間が創作したとは言えず、作品全体が著作物ではありません。しかし、図4のカシュタノバ氏のマンガ作品の場合は、マンガ作品中の画像の部分はAIが生成したもので人間が創作したとは言えないので、著作物ではないとされましたが、例えば文章の部分はカシュタノバ氏が創作したので、著作物と認められました。ほかにも、例えばAIが自律的に生成した表現に人間が加筆・修正をおこなった場合、加筆・修正部分に創作性があるつまり個性が発揮されているなら、その部分は著作物になりえます。

　このように、部分的に著作権が存在する場合もあるわけです。結果、例えばカシュタノバ氏のマンガ作品全体を無断でコピーすると画像の部分は著作物ではないので侵害にはなりませんが、文章の部分は著作物でありその部分について著作権侵害になってしまうので、注意しないといけません。この点、一般には、作品単位で考えるように誤解されている例が見受けられますので、注意喚起しておきます。

▶**検討**

　さて、先ほど、現状の生成AIを利用して表現を生成する典型的な場合として、①簡単かつ短いプロンプトを入力、②詳細かつ長いプロンプトを入力、③プロンプト自体の長さや構成要素を複数回試行錯誤、④同じプロンプトを何度も入力して複数の表現を生成し、そのなかから好みの表現をピックアップ、⑤AIが生成した表現に人間が加筆・修正、の5つを挙げました。この点、アメリカの裁判例や著作権局の決定は、最終的に生成された表現とその生成過程を人間が統御していることを求めていますので、少なくともいまの画像生成AIに対して①から④のような行為をおこなったとしても統御が不十分として人間が創作したことにはならず、著作物ではないということになりそうです。⑤については、加筆・修正部分に加筆・修正者の個性が表れていると言えるときは、その部分について著作物と認められるということになりそうです。

　まとめますと、アメリカは、人間がかなり強く関与することを求める厳しい立場ということができそうです。

　日本でもアメリカ同様に、人間の強い関与を求める厳しい見解があります。実は、いまから30年ほど前（1993年）に文化庁の審議会で、コンピュ

図6 人間への依頼とAIへの指示

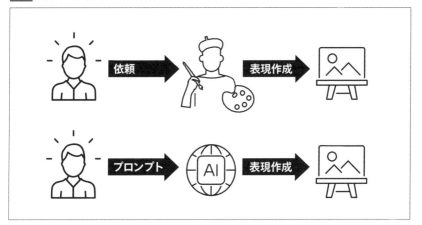

ーター生成表現が著作物として認められるか否かについて検討した報告書が
あります。冒頭で紹介した図1は、この報告書の考え方をベースにしたチャ
ートになります。

　この報告書は、コンピューター生成表現について、人間による創作的な寄
与がある場合、つまり、人間がコンピューターを道具として用いて表現を創
作したと言える場合でないと、著作物とは認められないとしたうえで、創作
的寄与がある状況として、入力から出力、そして表現の完成までの過程のど
こか一部分ではなくて、その全体に人間が関与し、一連の過程を全体として
統御していることを念頭に置いています。つまり、アメリカ同様の強い関与
を求めています。ですので、報告書の考え方では、上述の①から⑤について
も、アメリカ同様の結論になると思います。

　この強い関与を求める考え方の背景には、人間に表現の制作を依頼する場
合と、AIに指示する場合とを、同様に捉えようという考え方があります
（図6）。例えば、人間の画家を雇って絵の制作を頼む場合、①から④のよう
な行為だけでは、通常、頼んだ人が創作したとは捉えません。⑤について
は、頼んだ人が加筆・修正して、その部分に個性が表れていれば、その部分
だけは頼んだ人が創作したと評価します。

　これは一つの考え方だと思います。一方で、人間の画家は、頼まれたあと
の表現の作成にあたって、自分で創造性を発揮して個性を反映させるわけな

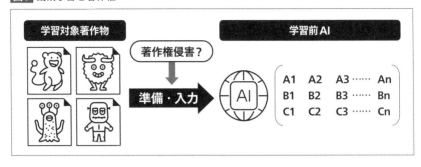

図7 機械学習と著作権

学習対象著作物

著作権侵害?

準備・入力

学習前AI

A1　A2　A3 …… An
B1　B2　B3 …… Bn
C1　C2　C3 …… Cn

ので、やはりできあがった表現はその画家のものと言えますが、AIの場合は、AIが創造性を発揮したり個性を反映させたりするわけではないので、本当に同じように考えていいのかという疑問もあります。逆に言うと、人間に頼む場合と比較して、弱い関与でも創作的寄与がある、つまり人間が創作したと評価していいのではという考え方です。もちろん、あまりに弱いのはダメですが、例えば①から④を単体ではなくいくつか組み合わせた状態だった場合はどうか、という議論です。

　このあたりはまだ日本では裁判例がないため、確たることは言えませんが、議論の現状は以上のようになっています。

2 ― 機械学習と著作権

▶基本的な考え方

　次に、AIを訓練するための機械学習時の著作物の利用に関する問題についてみていきます。

　機械学習をおこなうために、学習対象の著作物（以下、学習対象著作物と略記）を収集したり、整理したり、整形したりする際に複製がともないますし、何よりもAIに入力すること自体が複製になります。著作物を複製するためには、本来なら権利者の許諾が必要であり、無許諾で複製すると、通常は複製権侵害になってしまいます。

　しかしながら著作権法には、情報解析目的で著作物を利用する場合に関す

る権利制限規定がありまして、この規定に合致する使い方であれば、権利者の許諾なく利用することができます。ここで「情報解析」が何を意味するかですが、著作権法では「多数の著作物その他の大量の情報から、当該情報を構成する言語、音、影像その他の要素に係る情報を抽出し、比較、分類その他の解析を行うこと」と定義していて、機械学習はこの定義に当てはまる、つまり、情報解析の一種であると理解されています。

　情報解析に関連する権利制限規定は、第30条の4と第47条の5の2つがあります。

　まず、第30条の4は、シンプルで、情報解析のために必要な範囲で著作物を利用できます。一方、第47条の5のほうは、第1項では、情報解析して、その結果を提供することを目的とする場合、それに必要な範囲で情報解析対象の著作物を軽微利用できます。さらに、第2項で軽微利用の準備に必要な範囲で複製などもできるとしています。第30条の4が、情報解析目的での利用に限られていたのとは、差があります。

第30条の4
著作物は、次に掲げる場合その他の当該著作物に表現された思想又は感情を自ら享受し又は他人に享受させることを目的としない場合には、その必要と認められる限度において、いずれの方法によるかを問わず、利用することができる。ただし、当該著作物の種類及び用途並びに当該利用の態様に照らし著作権者の利益を不当に害することとなる場合は、この限りでない。

1　（略）
2　情報解析の用に供する場合
3　（略）

＊情報解析とは……
「多数の著作物その他の大量の情報から、当該情報を構成する言語、音、影像その他の要素に係る情報を抽出し、比較、分類その他の解析を行うこと」

第47条の5第1項

電子計算機を用いた情報処理により新たな知見又は情報を創出することによつて著作物の利用の促進に資する次の各号に掲げる行為を行う者（略）は、公衆への提供等（略）が行われた著作物（略）（公表された著作物又は送信可能化された著作物に限る。）について、当該各号に掲げる行為の目的上必要と認められる限度において、当該行為に付随して、いずれの方法によるかを問わず、利用（当該公衆提供等著作物のうちその利用に供される部分の占める割合、その利用に供される部分の量、その利用に供される際の表示の精度その他の要素に照らし軽微なものに限る。以下この条において「軽微利用」という。）を行うことができる。ただし、当該公衆提供等著作物に係る公衆への提供等が著作権を侵害するものであること（略）を知りながら当該軽微利用を行う場合その他当該公衆提供等著作物の種類及び用途並びに当該軽微利用の態様に照らし著作権者の利益を不当に害することとなる場合は、この限りでない。

　1（略）
　2 電子計算機による情報解析を行い、及びその結果を提供すること。
　3（略）

第47条の5第2項

前項各号に掲げる行為の準備を行う者（略）は、公衆提供等著作物について、同項の規定による軽微利用の準備のために必要と認められる限度において、複製若しくは公衆送信（略）を行い、又はその複製物による頒布を行うことができる。ただし、当該公衆提供等著作物の種類及び用途並びに当該複製又は頒布の部数及び当該複製、公衆送信又は頒布の態様に照らし著作権者の利益を不当に害することとなる場合は、この限りでない。

　ここで、情報解析について権利制限が認められた理由について、手短にご

紹介します。これらの権利制限規定を新設する際の検討ではまず、そもそも著作権とはどういう権利なのかということがあらためて議論されました。その結果、著作権（正確には著作財産権）は、著作物の享受の対価回収を保障する権利であるという整理がなされました。ここで、著作物の享受というのは、通常は人間が著作物の表現を知覚することで生じます。つまり、著作権というのは、人間が見たり聞いたりして享受することに関する対価を権利者が回収することを保障する権利だと位置づけられたわけです。

　では、機械学習の場合はどうでしょうか。機械学習では、著作物の表現を「見たり」「聞いたり」するのは強いて言えばAIであり、人間は表現を知覚するわけではありません。つまり、機械学習のための著作物の利用は、享受目的ではないわけです。とすると、機械学習のための著作物の利用は、そもそも対価回収の機会が保障されていない利用である。だから、権利を制限しても、権利者の対価回収の機会を奪うことはない。つまり、その利益を害することはない。こう結論づけられたわけです。

　このような議論の結果、第30条の4などの情報解析に関する権利制限規定ができたことで、大量の著作物を偏りなく機械学習することが可能になりました。

▶権利制限が適用除外になる場合

　ただ、この権利制限規定は無限定というわけではなくて、例外として適用除外が定められています。それは、利用される著作物の種類や用途、利用の態様に照らして、「著作権者の利益を不当に害することとなる場合」です。そういう場合は、権利制限規定が適用されないことになりますので、機械学習に際して、権利者から許諾を得る必要が出てきます。

　では、どういう場合が「著作権者の利益を不当に害することとなる場合」にあたって、権利制限規定が適用されなくなるかについてはまだ判決がないので、正直確たることはわかりません。ここでは、生成AIとの関係で、不当に害する場合に当たるかどうか、現在盛んに議論されているものを一つご紹介します。

　例えば、特定の画家の画風を採用した画像を生成するAIを開発するために特定の画家の全作品を機械学習させるのは、この権利制限規定で許されるのかという問題です。

この場合も機械学習にはちがいないので、本来なら権利制限規定が適用されるはずです。しかし、もしこのような機械学習は権利者の利益を不当に害するということになると、権利制限規定の適用除外が生じ、権利者の許諾が必要になります。

　画風の集中学習が、権利者の利益を不当に害する場合に当たるか否かについては、肯定説と否定説があります。

　肯定説は、画風が似た画像が市場に出まわることになると、著作権者の著作物の利用市場と衝突し、また将来の潜在的市場を阻害するので、著作権者の利益を不当に害する。だから権利制限規定は適用されない、となります。

　一方、否定説は、そもそも画風はアイデアであって、著作権で保護されないことを指摘します。ここで、補足すると、著作権は表現を保護する権利であって、その表現のもとになったアイデアまでは保護しません。表現を保護してもアイデアを保護しないというのは、著作権法の重要な原理・原則です。著作権法が、この原理・原則を採用しているために、豊富な表現が生み出され、私たちの文化は豊かになります。私はこれを「ラブソング効果」と呼んでいます。世の中には、古今東西、無数のラブソングがあります。ラブソングの基本的なアイデアは、「愛してる」「恋しい」「会いたい」「会えなくて寂しい」など共通です。しかし、アイデアは保護しませんので、同じように「愛してる」とか「恋しい」とかをテーマにした歌でも歌詞や曲の具体的な表現が異なれば、著作権侵害にはなりません。つまり、著作権があるので、同じアイデアを違う表現で表そうということになり、結果、たくさんの個性的で魅力的なラブソングが生み出されるわけです。

　話を戻しますと、絵の場合、絵柄は表現であり著作権で保護されますが、画風はアイデアであり著作権では保護されません。その著作権で保護されないものが共通して、仮に市場で競争が生じるとしても、それは著作権法上許された正当な自由競争でしかないわけです。そのような正当な自由競争の結果として権利者に何らかの損害が生じても、それは「不当に害する」とは言えないというのが否定説になります。

　私は否定説なんですが、現時点では、肯定説と否定説の両説が対立している状況です。

　なお、補足しておくと、何が表現で何がアイデアかは著作権の世界で最大の難問でして、クリアカットにここまでが表現でここからがアイデアという

図8 生成表現による著作権侵害

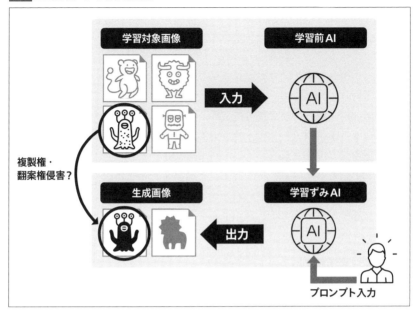

線引きはできません。先ほどの説明では、絵柄は保護されるが画風は保護されないと言いましたが、具体的に何が絵柄で何が画風かはケースバイケースになります。この点、ご留意ください。

3 ── 生成表現による著作権侵害

▶依拠と類似

　最後に、学習対象に含まれていた著作物とよく似た表現をAIが生成した場合に、著作権侵害になるのかについてみていきます。

　基本として、似ていればそれだけで著作権侵害になるのではありません。この点、似ている＝著作権侵害と思っている人が多いのですが、それは誤りです。似ている、つまり類似だけではなくて、依拠がないと著作権侵害にはなりません。依拠が何かについては、実は判決でも学説でもいろいろ争いが

あるのですが、異論がないのは、他人の著作物を見たり聞いたりしたことがあって、それを利用しようと意識している状態です。例えば、ドラえもんの絵を見たことがある人が、ドラえもんをまねしようと意識しているのが「依拠」で、そのうえでドラえもんに「類似」した絵を描くと、著作権侵害になります。依拠と類似の2つそろってはじめて著作権侵害なわけです。ですので、似ていなければもちろん著作権侵害になりません。また、似ていても依拠がない、例えば、ずっと無人島で暮らしていてドラえもんを見たことがない人がたまたまドラえもんそっくりの絵を描いた場合は、独自創作といって著作権侵害になりません。

以上を前提にしますと、学習対象に含まれていた著作物とよく似た表現をAIが生成した場合に著作権侵害になるかどうかについては、すでに類似はあるわけですから、あとは依拠があるかどうかを考えないといけないわけです。

▶操作者による依拠

生成AIの文脈で、依拠について、どのように考えるべきかについては様々な議論があるのですが、ここでは私の考え方をお話しします。

私は、2段階で依拠を考えるべきだと思っています。具体的には、AIを操作している人、つまり操作者について依拠が成立するかどうかが第1段階です。これが成立する場合は、すでに類似はありますので、著作権侵害になります。

一方、操作者について依拠が成立しない場合に第2段階としてAIによる依拠が成立するかを考えて、成立する場合は著作権侵害、しない場合は非侵害という整理になるのではないかと考えています。

第1段階の操作者による依拠ですが、これはAIを使わずに、ペンやワープロ、お絵かきソフトなどで表現を作る場合と一緒です。先ほどもご紹介したように、例えば、ドラえもんの絵を見たことがある人が、ドラえもんをまねしようと意識して絵を描く場合、依拠はあります。この絵を描くのが、ペンやお絵かきソフトでも、AIでも一緒です。つまり操作者が、AIを使って既存の著作物の表現を意図的にまねようとした場合、依拠は確実にあります。ですので、例えば、「任天堂、マリオ」とAIに入力して、あえてマリオそっくりな絵を出力させたとか、「宇宙船」と入力して出力された多数の画

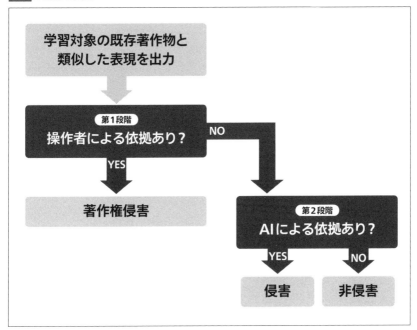

図9 2段階の依拠

学習対象の既存著作物と
類似した表現を出力

第1段階
操作者による依拠あり？ → NO

YES

著作権侵害

第2段階
AIによる依拠あり？

YES → 侵害

NO → 非侵害

像のなかから、『スタートレック』のエンタープライズ号に似た画像をあえ
て選んで利用する、などというのは依拠ありです。この場合、AIが、マリ
オやエンタープライズ号を学習しているかどうかを検討する必要さえありま
せん。

　なお、操作者による依拠で1点ややこしいのは、過去に見たり聞いたりし
たことがあるが、実際に文書を書いたり絵を描いたり曲を作ったりするとき
にはその存在を忘れていたという場合です。この問題は、昔から「無意識の
依拠」と言われていて、意識していないわけですから、本来なら依拠を否定
すべきなのです。しかし、そう言ってしまうとみんな「忘れていた」と言い
だして、依拠が成立する場面がなくなってしまうので、そうもいきません。
そのため、無意識の場合も全面的に依拠を認める考え方と、いわば状況証拠
で無意識でも依拠を一部認める考え方など、いろいろな議論があります。

　ただ、はっきりしているのは、少なくとも操作者が、類似する著作物の存

第
10
章

生成AIと著作権

在も内容も知らなかった場合は、操作者について依拠は認められません。

いずれにしても、操作者による依拠が認められない場合は、AIによる依拠を考える必要が出てきます。

▶AIによる依拠

AIよる依拠についてどう考えるべきかは、いままさに議論されているところです。

まず、大前提として、類似する著作物をAIが学習していない場合は、AIによる依拠はそもそもありません。この点は、異論がないところです。

問題は、類似する著作物をAIが学習している場合です。考え方は大きく2つに分かれます。第1は、全面的肯定説です。類似著作物を学習している以上、依拠は全面的に肯定され、著作権侵害になるとする考え方です。ただこの全面的肯定説では、AIの操作者が見たことも聞いたこともない著作物であっても、AIが学習さえしていれば依拠が肯定されて著作権侵害になってしまいますので、操作者には酷な話になります。ある意味、著作権侵害の結果責任を問われてしまうわけですね。そこで、学習していたことを知らなかったんだから、故意も過失もなく損害賠償責任は生じないというふうにしてバランスを取ってはどうか、ということが主張されています。なお、損害賠償責任が発生しない場合も差止めは認められますので、学習対象著作物に類似するAIで出力した表現を使い続けることはできません。

第2の考え方は、部分的肯定説です。先ほど紹介した、著作権は表現を保護してもアイデアを保護しないという原則を踏まえた考え方になります。すなわち、AIが学習過程で学習対象著作物の具体的な絵柄と文体（いずれも表現）を学習して、それを保持している結果として類似した表現が生成されたという場合（図10(A)）です。この場合は、表現に依拠しているので、著作権侵害になります。一方、AIは画風や作風（いずれもアイデア）しか学習しておらず、具体的な表現ではなくあくまでも画風や作風だけを保持していて、その画風や作風にもとづいて表現を生成したという場合（図10(B)）です。この場合は、依拠があるとしても、それは表現ではなくてアイデアになります。そして、著作権はアイデアを保護しませんから、この場合は著作権侵害にならないという考え方です。

この第2の考え方で問題は、先ほども述べましたが、表現（絵柄や文体）

図10 部分的肯定説

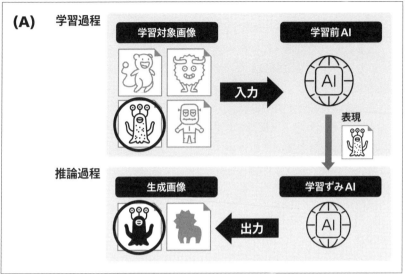

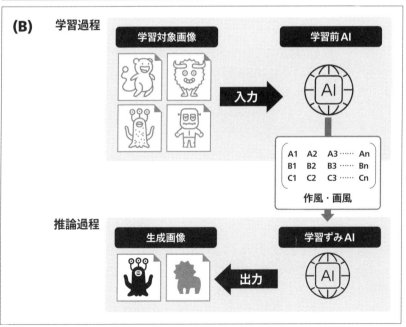

とアイデア（画風や作風）の区別はクリアカットにできるものではなくて、判断が結構難しいということです。

　補足すると、理論的には全面的肯定説と部分的肯定説に分かれるのですが、実際の訴訟ではたぶん、被害者である著作権者が、学習対象著作物に含まれる自分の著作物と、簡単な操作でかつ少ない試行回数でAIから出力された生成表現とがよく似ている、つまり類似度が高いということを示せば、裁判所は依拠があったと「推認」——一般用語で言えば推測——すると考えられます。その場合、AIの操作者や開発者が、実際は学習していないとか、似たのはたまたまであるとか、そういうことを説得力があるようなやり方で証明できないと、依拠の「推認」が依拠の「認定」になって、著作権侵害が認められるものと思われます。

まとめ

　最後に、AIと著作権のような新しい問題が出てきた場合に、何が重要になるかを考えたいと思います。

　1点目は、基本に戻ることです。基本に戻って、著作権法の目的や、原理原則を大事にする必要があると思います。AIだから特別なルールを作るのは、できるかぎり避けるべきです。法律は、基本的に説得と納得の積み重ねで運用されていくものですから、今日突然「いままでとまったく違うルールができました。守ってください」では納得が得られないわけです。まずは、従来から積み重ねてきたルールを大切にする必要があります。この点、著作権法についてみますと、その目的はあくまでも文化の発展であり、著作権自体はそういった目的達成のための手段でしかありません。また先ほどから何度か紹介したように、著作権法には、表現は保護するがアイデアは保護しないという原理原則があります。さらに、依拠がなければ類似していても著作権侵害にはならない、保護と利用のバランスに常に留意する、という基本原則もあります。こういった目的や原理原則を大切にしないと、著作権法としての整合性があるルールを作れません。

　一方で、時代の変化にも対応しないといけません。これが2点目です。著作権法は、活版印刷技術ができて海賊版書籍が急増するなかで、対抗策とし

て生み出された法律なんですね。そのため、著作権法は、その誕生のときから技術革新に対応することを宿命づけられています。例えば、写真の登場、レコードの登場、映画の登場、放送の登場、デジタル・インターネット技術の登場という具合に、様々な技術が登場するたびに著作権法は変化してきました。したがって、先に述べたように目的や原理原則はきっちり維持しなければなりませんが、同時に、AIの登場と普及に対応して変化しないといけません。短期的には、解釈の工夫ですむかもしれませんが、中長期的には、法律の改正が必要になることがあるかもしれません。例えば、現在の解釈では、AIが自律的に生成した表現は著作物ではないと解釈されると述べましたが、今後AI自律生成表現がどんどん増えてきたときに、本当にそのままでいいのか。10年後には、もしかすると、解釈の変更だったり法律の改正だったりが求められる日がくるかもしれません。

最後に、3点目として、国際的な調和の必要性も挙げておきます。著作物は国際的に流通しますし、国境を超えて利用されるわけです。そうすると、例えば日本とアメリカとでAI生成表現の著作物性や機械学習に関するルールが、まったく違うということでは困るわけです。もちろん、国が違えば法制度が異なりますので、解釈や結論が100パーセント一緒ということにはなりません。それでも、大きなところや基本的なところが共通していてくれないと困るわけで、そういう意味で、国際的な調和が重要になってきます。

シンポジウム後の展開

2024年3月、文化審議会著作権分科会法制度小委員会は「AIと著作権に関する考え方について」（〔https://www.bunka.go.jp/seisaku/bunkashingikai/chosakuken/bunkakai/69/pdf/94022801_01.pdf〕〔2024年4月26日アクセス〕）を公表しました。本章で取り上げた「AIが生成した表現の著作物性」「機械学習と著作権」「生成表現と著作権侵害」の3点についても、小委員会としての考え方が示されています。

同資料には「本考え方は、その公表時点における、本小委員会としての一定の考え方を示すものであり、本考え方自体が法的な拘束力を有するものではなく、また現時点で存在する特定の生成AIやこれに関する技術について、確定的な法的評価を行うものではないことに留意する必要がある」とい

う注記がありますが、今後、AIと著作権の関係について考えるうえで、広く参照される文書になると思われますので、ぜひ、一読してください。

注

（1）「生成AIの利用ガイドライン【簡易解説付】〔第1.1版〕」（「日本ディープラーニング協会」2023年10月公開、7ページ〔https://www.jdla.org/document/#ai-guideline〕〔2024年4月26日アクセス〕）に記載された例を参考にした。一部表現には変更を加えている。

（2）Thaler v. Perlmutter, 2023 U.S.Dist. LEXIS 145823.

（3）U.S. Copyright Office, *Cancellation Decision re: Zarya of the Dawn*（*Registration #VAu001480196*）.（https://www.copyright.gov/docs/zarya-of-the-dawn.pdf）〔2024年4月26日アクセス〕

（4）U.S. Copyright Office, *Second Request for Reconsideration for Refusal to Register Théâtre D'opéra Spatial*（*SR # 1-11743923581; Correspondence ID: 1-5T5320R*）.（https://www.copyright.gov/rulings-filings/review-board/docs/Theatre-Dopera-Spatial.pdf）〔2024年4月26日アクセス〕

（5）「著作権審議会第9小委員会（コンピュータ創作物関係）報告書」「著作権情報センター」（https://www.cric.or.jp/db/report/h5_11_2/h5_11_2_main.html）〔2024年4月26日アクセス〕

［関連文献］

• 奥邨弘司「人工知能が生み出したコンテンツと著作権——著作物性を中心に」「パテント」第70巻第2号、日本弁理士会、2017年
• 奥邨弘司「人工知能生成コンテンツは著作権で保護されるか」「電子情報通信学会誌」第102巻第3号、電子情報通信学会、2019年
• 奥邨弘司「AIと著作権——AI生成物の著作物性」、日本図書館協会現代の図書館編集委員会編「現代の図書館」第61巻第2号、日本図書館協会、2023年
• 奥邨弘司「AI生成物は著作権で保護されるか——日米中の考え方の比較」「有斐閣Online ロージャーナル」（https://yuhikaku.com/list/lawjournal）〔2024年4月26日アクセス〕
• 奥邨弘司「生成AIと著作権をめぐる議論の現状」「世界経済評論」第68巻第3号、文眞堂、2024年
• 上野達弘／奥邨弘司編著『AIと著作権』勁草書房、2024年

第11章

生成AIにおける
法的推論への適応限界

佐藤 健

1 ── 生成AIの法的推論への応用の問題点について

　法律分野での人工知能の利用に関しては、クイズ番組で人間のチャンピオンを破って有名になったIBM Watsonを用いた関連文献検索をおこなったころから本格的に応用されはじめ、その後深層学習による機械学習系の人工知能が利用されるようになりました。2023年には、世界的な弁護士事務所であるAllen & OveryがOpenAIと提携し、GPTベースの支援システムを導入するというニュースがありました。さらに、アメリカの司法試験でGPT-4を使用したところ高得点を獲得し、トップ10パーセントに入る成績を収めたという報告もあります。

　ただし、現在注目を浴びている深層学習ベースの人工知能は、コンテクストの類似性にもとづいて次の単語を予測するのが基本原理です。したがって、GPTは人間の推論とはまったく違う動作原理で会話をしていると言えます。つまり、論理的に正確な推論をおこなう確かな保証は存在しないため、GPTベースの判決推論システムの構築は困難です。

2 ── ChatGPTで日本の司法試験の問題を解いてみた

　ChatGPTの日本の法律問題への応用可能性について評価するため、実際に司法試験の民法短答式問題に取り組ませました。現実の司法試験短答式の

問題は、5つの選択肢があり、正しい選択肢を2つ選ぶか、誤りの選択肢を2つ選ぶというものです。ここでは問題をより単純化するため、それぞれの選択肢に対して関連する法令文を提示する課題と、各選択肢が関連法令から導かれるかどうかを回答する課題に分け、後者の課題に焦点を当てて実験を実施しました。つまり、関連法令を提示し、それにもとづいて問題が解かれるかどうかを「はい」または「いいえ」で回答するという課題です。するとChatGPTは単に「はい」「いいえ」だけではなくその理由も提示してきたため、その説明についても正しいかどうかを評価しました。

　問題の例として、2017年の司法試験の短答式民法第6問肢ウを解かせてみました。

ChatGPTへの質問
日本民法の以下の条文に基づいて以下の問題が正しいか答えよ。
第160条　相続財産に関しては、相続人が確定した時、管理人が選任された時又は破産手続開始の決定があった時から六箇月を経過するまでの間は、時効は、完成しない。
問題06肢ウ：
相続財産に関しては、相続財産管理人が選任された場合でも、相続人が確定するまでの間は、時効は完成しない。

　この問題に対してChatGPTに求めたのは、プロンプトで第160条を提示し、この条文にもとづいて問題を解決できるかどうか、「はい」「いいえ」で回答するということです。

ChatGPTの回答（2023年9月11日）
日本民法第160条に基づくと、相続財産に関しては、相続人が確定した時、**管理人が選任された時**、または破産手続開始の決定があった時から**六箇月を経過するまでの間は、時効が完成しない**と規定されています。
したがって、相続財産に関しては、相続財産管理人が選任された場合で

も、相続人が確定するまでの間は、時効は完成しません。

　この問いに対しChatGPTは、上記のとおり時効は完成しないという結論を導いています。しかしながら、第160条を詳細に検討すると、相続財産に関して相続財産管理人が選任された場合、相続人が確定しなくても6カ月が経過するまでは時効が完成しない旨が規定されています。6カ月を経過するまで時効が完成しないということは、6カ月が経過すれば時効が完成するという解釈になり、「時効は完成しない」というChatGPTの解答は誤りです。ChatGPTはこのような逆の解釈のような論理的推論が苦手のようです。

　さらに、2023年の民法短答式の全36問から、契約法に関する条文だけで解ける肢を112題抽出しました。これらの112肢についても先ほど述べたようなプロンプトで解答させたところ、45肢が誤っていたこと（正答率は60パーセント）がわかりました。ここでは「はい」「いいえ」の答えが正しくても説明文まで見て正しい説明でなかった場合には誤りとしています。

　これらの問題についても解析したところ、以下のようなエラーのパターンが見つかりました。

ChatGPTの誤りパターン1
「例外」（ただし書き）が認識できない。

日本民法の以下の条文に基づいて以下の問題が正しいか答えよ。
（代理人の行為能力）第102条　制限行為能力者が代理人としてした行為は、行為能力の制限によっては取り消すことができない。**ただし、制限行為能力者が他の制限行為能力者の法定代理人としてした行為については、この限りでない。**
問題04肢ウ：**制限行為能力者が他の制限行為能力者の法定代理人としてした行為は、行為能力の制限を理由として取り消すことができる。**

この問題は正しくありません。日本民法第102条は、制限行為能力者が他の制限行為能力者の法定代理人としてした行為は、行為能力の制限を

理由として取り消すことができないことを規定しています。制限行為能力者は他の制限行為能力者の代理人として行為をした場合でも、その行為を取り消すことはできません。
→ただし書きの読み落とし

　この条文は代理人の行為能力に関するもので、原則では、制限行為能力者の法定代理行為の効果は取り消すことができません。しかし、例外として「ただし、制限行為能力者が他の制限行為能力者の法定代理人としてした行為については、この限りではない」というただし書きがあり、この場合には取り消すことができるとされています。したがって、この問題は実際には正しいというのが答えであるにもかかわらず、ChatGPTで上の囲みのなかの点線の下に記載されている説明によれば、この問題は正しくないとされています。ここから、原則だけを取り上げ、ただし書きを見落としているというパターンが存在すると言えます。

ChatGPTの誤りパターン2
係り受けが認識できない。

日本民法の以下の条文に基づいて以下の問題が正しいか答えよ。
（随意条件）第134条　停止条件付法律行為は、その条件が単に債務者の意思のみに係るときは、無効とする。
問題06肢オ：AがBとの間で、Aの気が向いたらBに10万円を与える旨の贈与契約を締結した場合において、BがAに10万円の支払を請求したときは、Aは、これを拒むことができない。

贈与契約では、条件が単に債務者の意思のみに係る場合、その条件は無効とされます。したがって、Aが気が向いたらBに10万円を与えるという条件は、債務者の意思次第であるため、Bが10万円の支払いを請求した場合、Aはこれを拒むことはできません。この問題の答えは正しいです。

また、係り受けが認識できないという問題もあるようです。随意条件に関する第134条の「無効とする」の主語になりそうなものには、「停止条件付法律行為」と「その条件」の2つが存在します。ChatGPTでは「その条件が無効である」としていますが、本来は「停止条件付法律行為」のほうが無効とされるべきであるため、結論として、この問題は誤りです。ChatGPTはこのような複雑な構文を含む文章の解析がうまくできないようにみえます。

ChatGPTの誤りパターン3
一部の読み落とし

日本民法の以下の条文に基づいて以下の問題が正しいか答えよ。
（弁済の場所及び時間）第484条　弁済をすべき場所について別段の意思表示がないときは、特定物の引渡しは債権発生の時にその物が存在した場所において、その他の弁済は債権者の現在の住所において、それぞれしなければならない。
問題20-A：債権の目的が特定物の引渡しである場合において、弁済をすべき場所について別段の意思表示がないときは、その引渡しは、債権者の現在の住所においてしなければならない。

問題20肢ア：
日本民法第484条に基づいて、債権の目的が特定物の引渡しである場合において、弁済をすべき場所について別段の意思表示がない場合、その引渡しは債権者の現在の住所においてしなければならないと規定されています。したがって、この問題の主張は正しいです。
→「特定物の引渡しは債権発生の時にその物が存在した場所において」の部分の読み落とし

また、一部の条件を見落とすという問題もあります。第484条では「別段の意思表示がないときは、特定物の引渡しは債権発生の時にその物が存在した場所において（略）しなければならない」と記されていますが、肢では、特定物の引き渡しの弁済をおこなう場所について問うているにもかかわらず、ChatGPTではその他の弁済の条件のほうの弁済の場所（「債権者の現在の住所」）を抽出してしまい、正しいと解答してしまっています。

結局のところ、ChatGPTでは与えられた文脈で最も自然につながる言葉を選んで文章を生成しているので、非常に説得力があります。そのため、解答が正しいように見える一方で、上述のような細かな点を見逃すことで、正確さが損なわれることがあります。結局、すべて精査が必要になって人間が解いたほうが早いので、ChatGPTに法的判断をさせるのは難しいと思っています。

3 — ChatGPTに起因する
その他の法律応用の問題について

2023年には、以下のような法律応用に関わるChatGPTの問題が生じました。

まず、2023年5月にアメリカで発生した出来事ですが、弁護士がChatGPTを利用し、ChatGPTが構築した架空の判例を存在するものとして書面を提出しました。しかし、裁判所はこれが架空である旨を指摘し、結果として裁判所からこの弁護士が叱責されたという報道がありました。これはChatGPTで問題になっているハルシネーションに関連した事象です。

次は、名誉毀損の問題です。オーストラリアのヘプバーン・シャイア市長に選出されたブライアン・フッド氏が、かつての職場に在職していたときに、その企業が外国人に贈収賄をおこなっていたと内部告発して、その結果世界中で逮捕者が出たという事件がありました。この出来事は広く報道されたようです。フッド氏は内部告発者として有罪にされていませんが、ChatGPTで尋ねると、2012年に収賄罪1件で有罪認定され、懲役4年の判決を受けたと虚偽の情報が提示され、明らかな名誉毀損行為が生じています。

また、もう一つは著作権に関する話題です。2023年の6月に、アメリカの2人の作家がOpenAIが著作権法を侵害してChatGPTのトレーニングに作品を使用したとして、サンフランシスコ連邦裁判所で訴訟を提起したそうです。[3]

4 ― 生成AIの法的応用への解決
――記号処理系AIとの融合

ここでは、生成AIの問題に対する解決策について私見を述べます。現在まだ生成AIでは論理的な推論が難しいので、1970年代から研究されている論理的推論ができるシステム（記号処理系AI）を活用すべきだと考えています。ただし、記号処理系AIで法的推論をおこなうためには、自然言語文を論理式のような記号に変換する必要があります。しかし、判例には自然言語文で多くの情報が含まれていて、そのなかから必要な情報を取り出して記号や論理式に変換する必要があります。そこで、私たちの研究室では事件の記述からそのような論理表現を取り出す研究を進めています。

Working Example
alice bought this_TV from bob at the price of 100 dollars by contract0 on 06/November/2022
But alice rescinded contract0 because alice is a minor on 21/December/2022. However, this rescission was made because bob threatened alice on 11/November/2022.
It is because bob would like to sell this_TV to charlie in the higher price

Question: Can alice claim this_TV from bob?

この例題は、アリスがボブからテレビを100ドルで買い、アリスは未成年者という理由でその取り消しをしたが、それはボブがアリスを脅迫したから

おこなわれたという事件で、アリスがこのテレビをボブから買えるかどうかという問題です。この事件記述の文章のなかには、この法的問題には関係がない余分な情報として、ボブはほかの人に高い金でそのテレビを売りたかったたためアリスを脅迫したというものも含まれています。このような余分な情報が入っている文章から的確に法的判断に関わる事実を抽出することがまず必要になります。

生成AIベースの自然言語処理
前ページの文章から深層学習による自然言語処理によって、以下のPROLEG factを自動抽出。

```
agreement_of_purchase_contract
    (alice,bob,this_TV,100,
    2022 year 11 month 6 day,contract0).
minor (alice).
manifestation_fact (rescission (contract0),alice,bob,
    2022 year 12 month 21 day).
fact_of_duress (bob,alice,rescission (contract0),
    2022 year 11 month 11 day).
```

　私たちは、この部分に生成AIベースのシステムをフロントエンドとして用いて、その事実を抽出して論理式にするところまでを担当させました。次にその論理式を入力として、民法のルールを適用して判断するところについては、記号処理をおこなうAIが担当します。この部分については、民法のルールを人手で書いておき、あらかじめ正しさを1回だけ検証しておけば、あらゆる事件に対して正しい法的判断ができることを保証できます。
　私たちが開発したシステムでは、論理的推論による法的判断の推論結果をブロック図と呼ばれる図式表現で示すことができます。真ん中2つのブロックが成立していない条件で、それ以外のブロックが成立している条件です。いちばん上に位置するブロックが結論で、問題になっている法的問題の結論が成り立っています。実線でつながっている下のブロックには、上のブロッ

図1 PROLEGによる判決推論

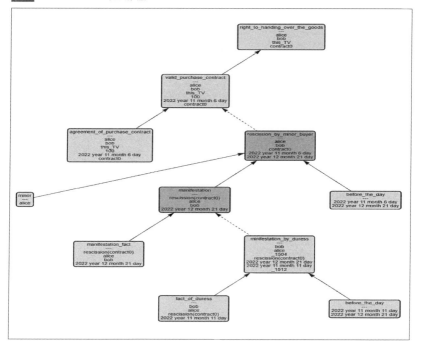

クを結論とする法的理由が示されています。また、破線でつながっている下のブロックは、その結論の例外条件を示しています。原則として契約が成立したらテレビを受け取ることができますが、取り消しがあったためテレビをもらえない例外があり、この部分が点線でつながっています。これに関して、そのブロックの下部にさらに点線が存在し、それにつながっているブロックは例外の例外を表しています。ここでは、その取り消しは売り主の脅迫にもとづいていて根拠がないので成り立たないとされているため、例外事由のブロックは成立せず、結果として原則の結論が維持されるということを表しています。これを判断する民法のルールは、すべて人手で書き起こした論理的な推論をおこなうものであり、正確な事実が入力されれば正確な結論が導かれるという保証があります。このようなアプローチはChatGPTと比較すれば、より有益だと考えています。

まとめ

　現在の法学への生成AIの応用は、主に言葉の重み付けや出現しやすい言葉の選択などに限定されていて、より高度な支援を実現するためには、論理的な記号処理系AIの要素が必要だと考えています。法律への適用を進めるには、生成AIと記号処理系AIを適切に融合させることが今後の鍵になると思われます。

注

（1）「Lawyer apologizes for fake court citations from ChatGPT」「CNN BUSINESS」（https://edition.cnn.com/2023/05/27/business/chat-gpt-avianca-mata-lawyers/index.html）［2024年1月9日アクセス］

（2）「Australian mayor readies world's first defamation lawsuit over ChatGPT content」「REUTERS」（https://www.reuters.com/technology/australian-mayor-readies-worlds-first-defamation-lawsuit-over-chatgpt-content-2023-04-05/）［2024年1月9日アクセス］

（3）「Lawsuit says OpenAI violated US authors' copyrights to train AI chatbot」「REUTERS」（https://jp.reuters.com/article/ai-copyright-lawsuit-idCAKBN2YF17R）［2024年1月9日アクセス］

[著者略歴]

黒橋禎夫（くろはし さだお）
国立情報学研究所所長、京都大学大学院情報学研究科特定教授。JSTさきがけ「新しい社会システムデザインに向けた情報基盤技術の創出」研究総括、文部科学官などを歴任。現在は言語処理学会会長、日本学術会議会員
専門は自然言語処理、知識情報処理
著書に『自然言語処理 三訂版』（放送大学教育振興会）など

鳥澤健太郎（とりさわ けんたろう）
情報通信研究機構（NICT）・フェロー
専門は自然言語処理
日本学術振興会賞、Twitter Data Grants等受賞
共著論文に「BERTAC: Enhancing Transformer-based Language Models with Adversarially Pretrained Convolutional Neural Networks」など
そのほかの業績についてはホームページ（https://direct.nict.go.jp/members/torisawa/）を参照

井尻善久（いじり よしひさ）
LINEヤフー株式会社データサイエンス統括本部4本部本部長、SB Intuitions取締役兼CRO
専門は情報科学、とくにコンピュータービジョンとロボティクス
共編著に『コンピュータビジョン最前線』、共訳書に『深層強化学習入門』『大規模計算時代の統計推論』『統計的学習の基礎』（いずれも共立出版）など。そのほか論文・特許も多数

湊 真一（みなと しんいち）
京都大学大学院情報学研究科教授
専門は大規模離散アルゴリズム技術とその応用
日本科学未来館企画展示「フカシギの数え方」監修。編著に『超高速グラフ列挙アルゴリズム』（森北出版）、共著に『基礎から学ぶ情報理論 第2版』（ムイスリ出版）、『英語で学ぶ計算理論』（コロナ社）など

相澤清晴（あいざわ きよはる）
東京大学大学院情報理工学系研究科教授。東京大学VRセンター・センター長、日本学術会議連携会員、IEEE東京支部Chair、IEEEフェロー
これまで、映像情報メディア学会会長、電子情報通信学会情報・システムソサイエティ会長、日本学術会議情報学委員会委員長などを歴任
専門は画像・マルチメディア処理。特に領域融合の課題を扱い、食情報処理、コミックコンピューティング、360度映像によるバーチャル探訪などの研究に従事

小沢高広（おざわ たかひろ）
2人組漫画家うめのシナリオ・演出担当
日本漫画家協会常務理事
代表作は「東京トイボックス」シリーズ。その他『スティーブズ』『ニブンノイクジ』（ともにコルク）など
現在連載中のヒストリカルSF『南緯六〇度線の約束』（小学館「ビッコミ」）では、ストーリーや設定考証、キャラクターデザイン、背景など多面的に生成AIを活用

黒越誠治 （くろこし せいじ）

デジサーチアンドアドバタイジング代表取締役

適格機関投資家（個人）

老舗企業やメーカーのアップサイド再生、起業家育成・支援をおこなう

適格機関投資家として、日本で初めてのSIB（ソーシャルインパクトボンド）のストラクチャーを設計、組成。AI関連企業の育成および出資。AIによるデザインの可能性に注目し、2018年より東京大学相澤清晴研究室と共同研究を開始

カラーヌワット・タリン （Tarin Clanuwat）

Sakana AI リサーチサイエンティスト

博士（文学）。専門は中世の『源氏物語』古注釈

情報・システム研究機構人文学オープンデータ共同利用センター特任助教、国立情報学研究所特任研究員、Google Research Brain Team 、Google DeepMindのシニアリサーチサイエンティストを経て現職

くずし字認識アプリ・みをの開発者。2022年度に文部科学省科学技術・学術政策研究所により「ナイスステップな研究者2022」の10人に選定された

宍戸常寿 （ししど じょうじ）

東京大学大学院法学政治学研究科教授

専門は憲法、情報法

著書に『憲法裁判権の動態 増補版』（弘文堂）、共著に『デジタル・デモクラシーがやってくる！』（中央公論新社）、『憲法学読本 第3版』（有斐閣）、共編著に『法学入門』『ロボット・AIと法』（ともに有斐閣）など

奥邨弘司 （おくむら こうじ）

慶應義塾大学大学院法務研究科教授

専門は知的財産権法、企業内法務

共編著に『AIと著作権』（勁草書房）、共著に『条解 著作権法』（弘文堂）、論文に「AI生成物は著作権で保護されるか」（有斐閣Onlineロージャーナル）、「生成AIと著作権に関する米国の動き」（「コピライト」2023年7月号）など

佐藤健 （さとう けん）

情報・システム研究機構人工知能法学研究支援センター・センター長

専門は人工知能と法学の学際領域である人工知能法学

共著論文に "PROLEG"（*New Frontiers in Artificial Intelligence*, JSAI-isAI 2010）

［編著者略歴］
喜連川 優（きつれがわ まさる）
日本学術会議情報学委員会「ITの生む諸課題検討分科会」連携会員（特任）
情報・システム研究機構機構長、東京大学特別教授、総長特別参与
専門はデータベース工学
情報処理学会会長、日本学術会議情報学委員会委員長などを歴任。2009年ACM SIGMODエドガー・F・コッド革新賞、20年日本学士院賞などを受賞。13年に紫綬褒章、16年にはレジオン・ドヌール勲章を受章。ACMフェロー、IEEEライフフェロー、中国コンピュータ学会栄誉会員

生成AIの論点
学問・ビジネスからカルチャーまで

発行	2024年5月29日　第1刷	
	2024年7月10日　第2刷	
定価	2400円＋税	
編著者	喜連川 優	
発行者	矢野未知生	
発行所	株式会社青弓社	
	〒162-0801 東京都新宿区山吹町337	
	電話 03-3268-0381(代)	
	http://www.seikyusha.co.jp	
印刷所	三松堂	
製本所	三松堂	

©2024
ISBN978-4-7872-3537-4　C0036

ダン・レヴィ　川瀬晃弘 監訳
ハーバード式Zoom授業入門
オンライン学習を効果的に支援するガイド
ハーバード大学で教鞭を執り数々の教育賞を受賞している著者が、Zoomを使った授業方法の基礎から応用までを実践的にレクチャーする。すべての教育関係者に向けて、オンライン授業についてガイドする入門書。　　　　　　　　**定価2000円＋税**

藤代裕之／一戸信哉／山口 浩／木村昭悟 ほか
ソーシャルメディア論・改訂版
つながりを再設計する
ソーシャルメディアをどのように使いこなすのか──歴史や技術、関連する事象、今後の課題を学び、人や社会とのつながりを再設計するメディア・リテラシーの獲得に必要な視点を提示する教科書。　　　　　　　　　　　　　　**定価1800円＋税**

岡本 真
未来の図書館、はじめます

多くの図書館をプロデュースしてきた著者が、図書館計画の読み方をはじめとした準備、図書館整備と地方自治体が抱える課題や論点、図書館整備の手法、スケジュールの目安など、勘どころを紹介する実践の書。　　　　　　　　**定価1800円＋税**

永田治樹
公共図書館を育てる

図書館を変えれば地域が変わる！　国内外の事例を多数紹介して、AIを使った所蔵資料の管理や利用者誘導、オープンライブラリーなど、デジタル時代の図書館を構築するヒントにあふれた実践的ガイド。　　　　　　　　　　　**定価2600円＋税**

吉井 潤
仕事に役立つ専門紙・業界紙

専門紙・業界紙400を分析して、ビジネス・起業・就活にも役立つように専門用語を避けてわかりやすくガイドする。激動する情報化社会のなかで、図書館のビジネス支援や高校生・大学生が社会を知るためのツール。　　　　　　　**定価1600円＋税**